ウ ニ ヒ ピ リ

ホ・オポノポノで出会った「ほんとうの自分」

イハレアカラ・ヒューレン

KR

インタビュー：平良アイリーン

サンマーク出版

UNIHIPILI

o͝o-nēé-hēē-pĭll´-ēē

「ウニヒピリ」、それはヒューレン博士とKR女史が、ホ・オポノポノ実践中の一人であるわたしに教えてくれた、愛するもう一人の自分のことでした。

平良アイリーン

【ウニヒピリ】

ホ・オポノポノでは潜在意識のことを「ウニヒピリ」と呼んでいます。

潜在意識（インナーチャイルド）の定義となっているいる個人の幼少期のトラウマ的な記憶だけではなく、地球の誕生から現在まで、陸・海・空に存在するすべての動植物を含む生命体から鉄のような無機物までが体験した、すべての記憶が保管されているところを指します。

ウニヒピリは、あなたのなかに必ず存在し、いつでもあなたからの愛を待っています。

はじめに

あなたの名前は何ですか？

あなたは今、何歳ですか？

生まれてから何年経っていますか？

その何年間かを通して、あなたの経験やまわりにあった存在だけによって、今のあなたが形成されたと思っていませんか？

今まであなたが生きてきたこの人生は、冒険にみちたハラハラドキドキするものでしたか？　それともたんたんとした平凡なものでしたか？

いずれにせよ、その人生は、あなたの努力や意志、まわりの環境によってつくられたものだと思っていませんか？　または、その両方を行ったり来たりでしたか？
もちろん、いろいろあったでしょうし、たくさん努力もしたでしょう。
逆にどんなに努力をしたって、何も変わらないとあきらめたこともあったでしょう。
いつかチャンスがあれば、そのときこそチャンスをつかもうと虎視眈々《こしたんたん》としている人だっているかもしれません。

「これが、わたし」と信じている自分は、どんなあなたですか？

この本に書かれているのは、ホ・オポノポノを通して出会う〝もう一人の自分〟のお話です。

あなたが今まで存在を気づかなかった、もう一人の自分と出会うことで、あなたが生きてきたなかで生まれたたくさんの謎《なぞ》を、一つでも解くことができるかもしれません。

または、苦難だと思ってきた人生を変えることができるかもしれません。
夢をつかむことができるかもしれないし、真実を知ることになるかもしれません。

ただ一つ言えるのは、あなたが今まで自分一人で生きてきたと思っている、どうにか、こうにか、やっとのことで形になってきたこの人生は、ほんとうはあなた一人ではなく、もう一人の力によって成り立ってきたことに気づける、ということです。

「どうして、こんなことが起きるの?」
「どうして、うまくいかないの?」
「どうして、望んだ結果にならないの?」

誰でも一度は、こんなふうに人生に迷いを感じたことがあると思います。

あなたがもう一人の自分と出会い、ホ・オポノポノのプロセスを通じてもっと関わりはじめることによって、〝もう一人の自分〟は、あなたが今生きているこの人生に驚くほど協力してくれるようになるでしょう。

なぜなら、今までのあなたの人生をこのようにしてきたのも、もう一人の自分だからとも言えますし、もう一人の自分の役割をあなたが知れば知るほど、きっと関わらずにはいられなくなるからです。

一つハッキリしているのは、あなたの今までの人生がどのようなものであれ、〝もう一人の自分〟、すなわち「ウニヒピリ」は愛すべき存在であるということです。

そして、そんな「ウニヒピリ」を愛してあげることができるのは、この世でただ一人〝あなた〟だけなのです。

登場人物

この本のなかでお話をしてくれるのは、次のお二人。


「ヒューレン博士」ハワイのおじいさん。

ハワイに伝わる**〝ホ・オポノポノ〟**を世界中でお話ししているらしい。

どうやら、その不思議なホ・オポノポノでは、**クリーニング**っていうのをすると、問題を解決できるそう……。

いつも野球帽をかぶっている、これまた不思議な人。


「KR女史」世界でいちばん長くクリーニングをしている、いつも笑顔のかわいい人。

ハワイのダイアモンドヘッドのふもとに住みながら、「SITH**ホ・オポノポノ**」をつくったモーナ女史の教えを受け継いでいるんだって。素敵な**クリーニングツール**（なんでもそのツールっていうのを使うと、クリーニングがどんどんできるとか）っていうのを、**インスピレーション**で見つけてくれるらしい。

ホ・オポノポノによると、ふだんたった一人って思っていた「自分」は、じつは全部で三つのものでできているんだって。一つは**「ウハネ」**、〝表面意識〟のこと。ふだんの自分は、こっちに多くいるみたい。もう一つは**「アウマクア」**、〝超意識〟のこと。**ディヴィニティ**っていう、とても大きな存在に、唯一つながれる父親みたいな部分。

そしてこの本の主人公、**「ウニヒピリ」**。子供みたいな存在だけど、それはそれはたっくさんの情報をもっていて、わたしたちの人生に、とっても大きな影響を与える存在なんだって。そして、このふだんはバラバラの三人が一つになると「ほんとうの自分」というのに出会えるそう……。

目次

2 ごめんね、ウニヒピリ。

3 ゆるしてね、ウニヒピリ。

ブックデザイン／アルビレオ

カバー作品・アートワークス／佐藤 玲

本文DTP／日本アートグラファ

翻訳協力／縄野むつみ

制作協力／セリーン㈱

編集／鈴木七沖（サンマーク出版）

1

ありがとう、
ウニヒピリ。

クリーニングをすればするほど、
ウニヒピリが大切なことを
どんどん教えてくれます。

最愛のカウンセラー

ヒューレン博士

例えばあなたが助けを求めて、カウンセラーのところへ行くとします。するとカウンセラーは、まずクライアントであるあなたが、なぜそうなったのか原因を究明しようとするでしょう。しかし、原因を見つけることはできません。あなたが忘れていた幼少期の事件を発見できたとしても、そのこと自体が記憶の再生による体験なのですから、根本的な原因を誰もはっきり見つけることができないのです。なぜなら、何かが起きるのは原因があるからではなく、記憶が再生されているから。

ほんとうの助けとは何ですか？

心の救いとは何ですか？

それを与えることができるのはカウンセラーでしょうか？

それとも親友、夫、子供、両親でしょうか？

そうであるかもしれないし、ときにはそうでないかもしれません。

ただ一つわたしが知っている最愛のカウンセラー、それは言うまでもありません、「ウニヒピリ」です。

なぜって？　例えば、わたしたちが何か問題を抱え、ウニヒピリのもとに駆け込んでいくとします。もちろん、その問題そのものを見せてくれたのもウニヒピリ自身ですが、なにもわたしたちに嫌がらせをするために見せているのではなく、今消去しないと、またいずれ何か違った形で（もしかしたらもっと深刻な形として）現れる前に消去できるようにしてくれているのです。

ウニヒピリはほかのどんな優れたものよりも、あなたの歴史を知っています。

しかも、はるか昔の情報までもウニヒピリは克明に記憶しています。

ウニヒピリは今この瞬間でさえ、あなたの本来の目的でもあるゼロになることのために、そしてインスピレーションから生きていくために、あなたとともにクリーニングできるよう、記憶を再生しています。

あなたは、ほんとうは誰の助けを借りなくても、ウニヒピリに感謝し、敬愛し、行動を示すことで、変化を生み出すことができます。続けていくことで願いを届けることができるのです。

クリーニングは一〇〇パーセント、自分に責任があると認めることから始まります。自分の目の前で人が転んだとします。そのとき、このことの責任は一〇〇パーセント自分にあると認めます。

一体、自分のなかのどの記憶が、この人を転ばせたのでしょう。

その記憶ははるか昔、あなたが人間以外の何かであったときのものかもしれませんし、この場所で、かつて人に殴られたことがあるのかもしれません。

原因はあなたにはわかりませんし、解明する必要もありません。

でも、そこには必ず何かがあって、今ウニヒピリがそのときの記憶を再生し、あなたの前で人が転んだという体験を通して消去してもらおうとしています。

あなたにできることは何でしょうか?

もうおわかりですね。クリーニングです!

あなたが知性的にも感情的にも肉体的にも体験することはすべて、ウニヒピリによる記憶の再生なのです。ですから、あなたはそれをクリーニングすればいいのです。

もう一人の自分

ヒューレン博士

皆さんに知っておいてほしい大切なことがあります。

ウニヒピリ（潜在意識）は、わたしたちがこれまでに経験してきたあらゆることに関する情報をもっています。情報、それはすなわち記憶です。あなた自身が体験した数十年というあいだの記憶だけではありません。「宇宙の誕生から現在まで、すべての生命体、すべての鉱物などが体験した記憶」をもっているのです。

あなたの身のまわりで起きること（問題も含めて）は、すべてこのウニヒピリがもつ記憶が原因で起きています。ホ・オポノポノでは、その問題の原因となっている記憶を消去すれば問題を解決できると考えています。

また、この記憶は、誰のウニヒピリにも共通している記憶（情報）ですから、もし、目の前の人に起きている問題であっても、あなたがあなたのウニヒピリと交流し、記憶を消去することで、他人の問題も解決できるというユニークな点をもっています。

記憶の多くは、ほかと共有しあっているものですから、あなたのウニヒピリのなかの情報をクリーニングすることによって、他人の記憶も同時に消去できると考えます。

例えば、あなたが今、誰かに対して恨みをもっているとします。

あなたはそこで恨みという感情を経験しています。

それはウニヒピリが保管しているメモリーバンクのなかにある、「過去に何かを恨んだ体験」という記憶が再生されたからなのです。

ですから、あなた自身そのものが何かを恨んでいるわけではありません。ウニヒピリが経験したことをあなたが感じただけなのです。

ウニヒピリそのものが怒り、恨んでいるわけでもありません。ウニヒピリのなかで怒り、恨みの記憶が再生された結果、あなたが怒りや恨みを体験しているだけです。

これが、いつもあなたが恨んでいると感じる理由です。

恨み以外にも、怒り、悲しみ、孤独、あきらめ、喜び、楽しさなど、あらゆる感情を抱く理由は、ウニヒピリのなかでそれらの記憶が再生されているからなのです。

もう一度はっきりとお伝えしたいのですが、問題は自分の外側にあるのではありません。現実にそのような問題が起きているのではないということです。

それは、いうならばコンピューターのメモリーのなかに記録された問題のようなものがウニヒピリのなかには膨大にあり、それらをすべてウニヒピリは管理しています。

あなたのウニヒピリは、宇宙がつくられてから生まれたすべての記憶にアクセスして、瞬間、瞬間に、膨大な記憶を立ち上げています。

ウニヒピリのなかでは、一秒間に一五〇〇万ビットの記憶が立ち上がっています。ところが、あなた（表面意識）が日常において知覚し、認識できるのは、一秒間に一五ビットの記憶です。その差は歴然としています。つまり一瞬一瞬、ウニヒピリのなかでどのようなことが起こっているのか、ほんとうのところ、わたしたちはまったく気づいていないのです。

あなた（表面意識）が体験することは、何でもウニヒピリが記憶として保管しています。

わたしたち人間が問題と感じるものは〝すべて〟ウニヒピリが再生する記憶にすぎません。これは皆さんに理解してほしい重要なポイントです。

このことへの理解が薄いと、ホ・オポノポノのプロセスは最後まで実行されません。

SITHホ・オポノポノの創始者であるモーナ女史は、いつも言っていました。

「そう、何もかもわたしだったのです。すべては、自分のなかで起きていることなのです」

あなたにも、ここのところまで納得してほしいのです。

「自分自身を見なさい。いつでもひたすら自分を見なさい」

このことだけを繰り返し、繰り返し、わたしたちに伝えてくれました。

もう、おわかりかと思いますが、ここでいう〝自分〟とは、まさしくウニヒピリのことです。

問題が起きているときは、メモリーバンクのなかにあった記憶が再生されている状態なのですが、同時にそれはウニヒピリのなか、つまり自分のなかで起きていることでもあります。

そして、あなたが自分からウニヒピリに働きかけて（クリーニングして）記憶を消去してもらわないかぎり、問題はいつまでも再生されつづけます。

ウニヒピリはというと、あふれそうなほどの記憶が常にパンパンに詰め込まれ、まったく身動きがとれない状態です。

あなたが意識していようといまいと、あなた自身のなかにウニヒピリはいます。そしてあなたの一部であるまさに〝自分〟が今そのような状態にあるというのが事実なのです。

「セルフ・アイデンティティ・スルー・ホ・オポノポノ」が大切にしているのは、ウニヒピリと辛抱強く、愛情深く関わることです。関わりつづけることです。

ウニヒピリに対して、

「今ここで体験したり感じたりしていることは、問題や苦悩なんかじゃない。ただ、あなたが保管してきた記憶が再生されているだけだよ。そしてその記憶は手放せるんだよ」

と話しかけてみてください。焦らなくてもいいのです。あなたは今日クリーニングを始め、そしてそれを選択するかぎり、ずっと続けていくことができるのです。

時間をたっぷりかけて、ウニヒピリとともに最初から学んでいきましょう。

声を聞く

KR女史

ウニヒピリは起きていることすべてを把握しています。ほんとうのところで何が実際に起きているのか、あなたが目をつぶって忘れたふりをしていても、ウニヒピリはあらゆる出来事を見ています。

あなたはここまで聞くと、

「まぁ、なんていい子なのでしょう。今日から、さっそくウニヒピリのケアを始めましょう！」

なんて心を弾ませるかもしれません。しかし実際のところ、あなたのウニヒピリはほんとうにいろいろな理由から、あなたとそのことについてお話をしたり、クリーニングしたりしたいと思っていないかもしれません。

表面意識であるあなたは、そうとう長いあいだウニヒピリを支配してきました。

あなたは「わたしには何が起きているかわかっている」と思い込み、あなた自身のその思い込みで勝手に自分を非難します。自分はなんてバカなんだ、どうしようもない、ああだこうだ……とせわしなく責め立てます。このすべてがウニヒピリを痛めつけているのです。あなたは、まるであなただけのこととして自虐的に思いをめぐらせる傾向がありますが、その結果すべての負担はウニヒピリが背負っています。

このような状態では、あなたとウニヒピリの関係はアンバランスなため、ウニヒピリはあなたと関わろうとしないでしょう。

そうなると、あなたは行き止まりにぶちあたります。今度は他人やほかの知識に助けを求めようとしますが、あなたにできることは自分で何かを判断して決めることではなく、クリーニングを始めることです。はじめは光が入らなくても、ウニヒピリのケアを続けてクリーニングをすることがもっともスマートなあり方です。

ついこの前、ヒューレン博士とわたしがある問題についてクリーニングをしていたときに気づいたのですが、考えたり、悩んだりするだけでもときとしてウニヒピリを傷つけてしまうことがあります。

「間違った場所に行ってしまうのではないかしら。人に間違ったことを言ってしまうかもしれない。自分のクリーニングのやり方は間違っていないか、足りないのではないか」

などと、しょっちゅう心配していると、自らエネルギーを使い果たしてしまうでしょう。それは、まるでタイヤの空気が半分の自転車に乗るようなもの。もしデコボコがある道と出会ったなら、いとも簡単に滑ってしまったりして自転車は傷つき、ひょっとしたら事故に遭うかもしれません。タイヤの空気圧がちょうどよく保たれていると、ちょっとした障害物や、段差があってもなんてことありませんよね。そのままスイスイ進んでいけます。

自転車とタイヤの関係は、まるであなたとウニヒピリの関係に似ています。

モーナが生前に、

「〝あなた〟という表面意識は独裁的になりがちである」

と繰り返し言っていました。つまりあなたは意図的でないにせよ自分自身であるウニヒピリに要求したり、命令をしたりしがちです。

「今日は休みだからこれとあれを終わらせなきゃ！」

「幸せになるためにはこういう自分でいなくちゃ！」

など、あなたは「〇〇しなくてはならない」という思いで行動しがちです。

あなたがしょっちゅうこのように要求するため、ウニヒピリはかなり従属的になり、パートナーというよりは、むしろ奴隷のようになっています。

自分に置き換えて考えてみても、上司でも、家族でも、誰かが自分に対して恐ろしく支配的であったり独裁的だったりするとほんとうに自分らしくふるまえないし、本来の能力を発揮しづらいものです。

ホ・オポノポノでは、クリーニングし、ウニヒピリのケアを続け、ウニヒピリがあなたとともにいることで、あなたとウニヒピリが一緒に働き出せば、正しい方向へおのずと向かいはじめます。そのためにもあなたはウニヒピリが自由でいられる環境をつくる必要があります。

ヒューレン博士

素晴らしい作家であり、わたしの友人でもある、よしもとばななさんが、ウニヒピリとともに働くというホ・オポノポノのプロセスに共感したと伝えてくれました。彼

女は子供のころから誰に教わったわけでもなく、どこかに出かける前にはいつもウニヒピリに、

「あなたのためにバッグを用意したわ。必要なものを取り出せるようにそのなかにいろいろ入れておくわね」

と話しかけてあげていたそうです。

わたしはいつも寝る前か朝起きたときに、ウニヒピリに「明日一日、何が必要ですか」と問いかけてからインスピレーションで何をもっていくかを決めています。その日によってジェリービーンズだったり、イチョウの葉であったり、さまざまですが「これだ!」と感じるものをいつも小さいジップロックに入れていきます。

海外などの長期の外出時は、その日程などが決まった時点でウニヒピリと相談を始めます。ポイントとしてわたしはそれを楽しんでやっているということです。

ウニヒピリは、自分がその日ほしいと思っているものが何なのか、あなたに伝わっているかどうかとても楽しみにしており、そしてそのことをあなたが気にかけてくれているかどうか気にしています。

このウニヒピリのバッグはウニヒピリのケアの一つです。必ずやらなくてはいけな

いものではありませんが、ウニヒピリと関係を深める方法の一例です。

ばななさんがわたしにお話ししてくれた体験の一つに、彼女は子供時代から人間ではないいろいろなもの、例えばお部屋や植物ともお話をしていたということがあります。まずいつもお部屋に感謝していたと話してくれました。家具の何かが壊されてしまったとき、その痛みを感じることが多々あったそうです。KRも同じような体験がありましたよね。

KR女史

わたしの子供たちがまだ小さかったころ、マグカップを庭に持ち出し、それで水を飲んでいました。わたしが庭に出てカップのそばを通りかかると、

「わたしを片づけて」

とカップが言っているのが聞こえました。わたしは「わかったわ。すぐに戻って片づけるわ」と言ったものの外で洗濯物を干したりと慌ただしくしていました。

少したってまた通りかかると、カップはまだ同じ場所にありました。

「片づけて。私をキッチンにしまって」

と、ふたたび同じ声が聞こえてきたので、わたしは「わかった、すぐに片づけるから少しだけ待ってて」と言ってほかの用事をすませるため、その場を離れました。

今度は、用事をすませてすぐにカップのもとに戻ったのですが、すでにカップは割れていました。

この出来事を通して、タイミングを逃したら物質的にはもちろん、気持ち、考え、アイディアなど何でも失われてしまうということに気がつきました。つまりどんなにウニヒピリと交流がとれていて、そのように物事が見えたり聞こえたりしていても、その瞬間もクリーニングをしてインスピレーションに従わなければ失われてしまうことがあるということです。このときは大切にしていたマグカップを失いました。

この体験はわたしにとって、自分がどんな自分でいたいのかを思い出すとても大きなきっかけでした。

つい最近も、わたしが家のなかを歩いていると孫が遊んでいたおもちゃとシャツが床に落ちているのが目に入りました。もう少しで拾い上げるところでしたが、目に入った瞬間にクリーニングをすると、

「だめ！　ここにあるのには理由があるんだよ」

と声が聞こえてきました。わたしは「わかったわ。そこにいて」と心のなかで返事をしました。

おもちゃやシャツをそこに置いた理由が、子供なりにあったことに気づきました。もしわたしがクリーニングをせずにウニヒピリを無視して独善的に拾い上げてしまっていたら、マグカップのときのように私は何かを失ったでしょう。

日ごろ、わたしたちはすべての行動のほとんどをクリーニングせずに行っています。ところがクリーニングをすればするほど、ウニヒピリが大切なことをどんどん教えてくれるようになり、もっと多くのいろいろな声（インスピレーション）が聞き取れるようになります。人生を通して、大きな自然の流れに沿うことができます。

今のウニヒピリはどんな状態？

ヒューレン博士

あなたが問題に直面したとき、何もかもがうまくいかないとき、あなたのなかで何が起きているかご存じですか？

ウニヒピリが愛されていない、放置され、無視され、都合よく操られ、存在を認められていない、そのように感じているとき、あなた自身がトラブルに巻き込まれます。

ウニヒピリの協力なしには、アウマクア（超意識）やディヴィニティ（神聖なる存在）からのインスピレーションを受け取ることはできません。つまり、わたしたちの本来の目的、ほんとうの自分として生きることはできないということです。

わたしたちは、よく「直観」と「インスピレーション」とを間違ってしまいます。同じものだと思い込んでいる人も少なくないでしょう。

「直観」とは、いうならば過去の記憶の再生から生じているものです。現実に過去の情報としてうまくいったような感覚です。ところが「インスピレーション」はウニヒピリが再生する記憶がクリーニングされ、あなた自身がゼロ（無）になったところへ、ディヴィニティから届く力（マナ）のことなのです。

インスピレーションは、過去の記憶や今までの記憶に縛られない、あなたにとって完璧《かんぺき》なタイミングで現れる「神聖なるお知らせ」です。

インスピレーションを受け取るには、まずウニヒピリの存在を認め、ウニヒピリ自身があなたからほんとうに長いあいだ無視され、虐待されたと感じているということを認めましょう。

あなたにできることは、絶えずウニヒピリとの交流を通してお詫《わ》びをすることです。あなたがウニヒピリを常に無視してきたこと、少しも心をかけず大切にしてこなかったこと、ウニヒピリの言うことに耳をかさず勝手に自分（意志）だけで物事を進めてきたことを、心から「ごめんなさい」と謝るのです。

そして自分は、今そのことに対して、大切なウニヒピリのために埋め合わせをしたいと思っていることを伝えます。

ウニヒピリは、あなたを「ゼロ（無）」に導いてくれる大切なあなたの一部です。インスピレーションを与えてくれる神聖なる存在とあなたをつなげてくれる愛すべき存在です。そんなウニヒピリを無視し、虐待してきたのはほかではないあなたです。

一体どれだけの人が自分のインナーチャイルド、すなわちホ・オポノポノで言う「ウニヒピリ」に話しかけているでしょうか。それほど多くはないと思います。

今世界で起きていることを見ればわかります。ホ・オポノポノのプロセス（クリーニングのやり方）を習った人でさえ、実際に実行していないのではないでしょうか。

ほんとうの自分として、インスピレーションを通して生きていくのなら、そしてあらゆる問題、執着から解放されたいのであれば、ウニヒピリに話しかけてください。ホ・オポノポノを知っている人もそうでない人も、もしも自由に生きていきたいとほんとうに願うのならば、ウニヒピリの存在を認め、話しかけていくことを始めてください。

KR女史

そのとおりですね。あなたが自分自身を怒りや恨み、不安や恐怖、孤独や拒絶から解放するのは、ほんとうはとてもシンプルなことなのに、自分自身をあなたの最大の敵にしています。

ほんとうの自分を発見することやウニヒピリとの交流のプロセスは、タマネギの皮を一枚一枚はがしていくような、かぎりなく続く永遠のプロセスです。はがしても、はがしても、そのタマネギはなくなりません。それでも、ただひたすらはがしつづけます。

何のためにそのようなことをするのでしょう。

それはゼロ（無）になるためです。

わたしたちはもともと、ゼロ（無）の状態で生まれました。それは過去の偉人たち——ブッダやイエス・キリスト、シェイクスピアやゲーテなども言っています。

ホ・オポノポノでは、「ゼロ」であることを大切にしています。ウニヒピリが記憶という情報でいっぱいならば光は届きません。しかし、あなたがクリーニングをしてゼロの状態になれば、ディヴィニティ（神聖なる存在）から届けられるさんさんと輝く光はウニヒピリのなかにまで届き、新たなインスピレーションを受け取ることができます。

クリーニングをして、いっぱいになった情報を一枚ずつはがしていくたびに、ウニヒピリは新しい記憶を見せてくれます。ウハネ（表面意識）であるあなたのできることは、その記憶を一枚一枚クリーニングによってはがしていくことなのです。

ヒューレン博士

はっきりさせたいのは、すべては自分のなかで起きているということです。

多くの人が、問題はほかの人や、モノ、お金と自分との関係によって生まれるだと

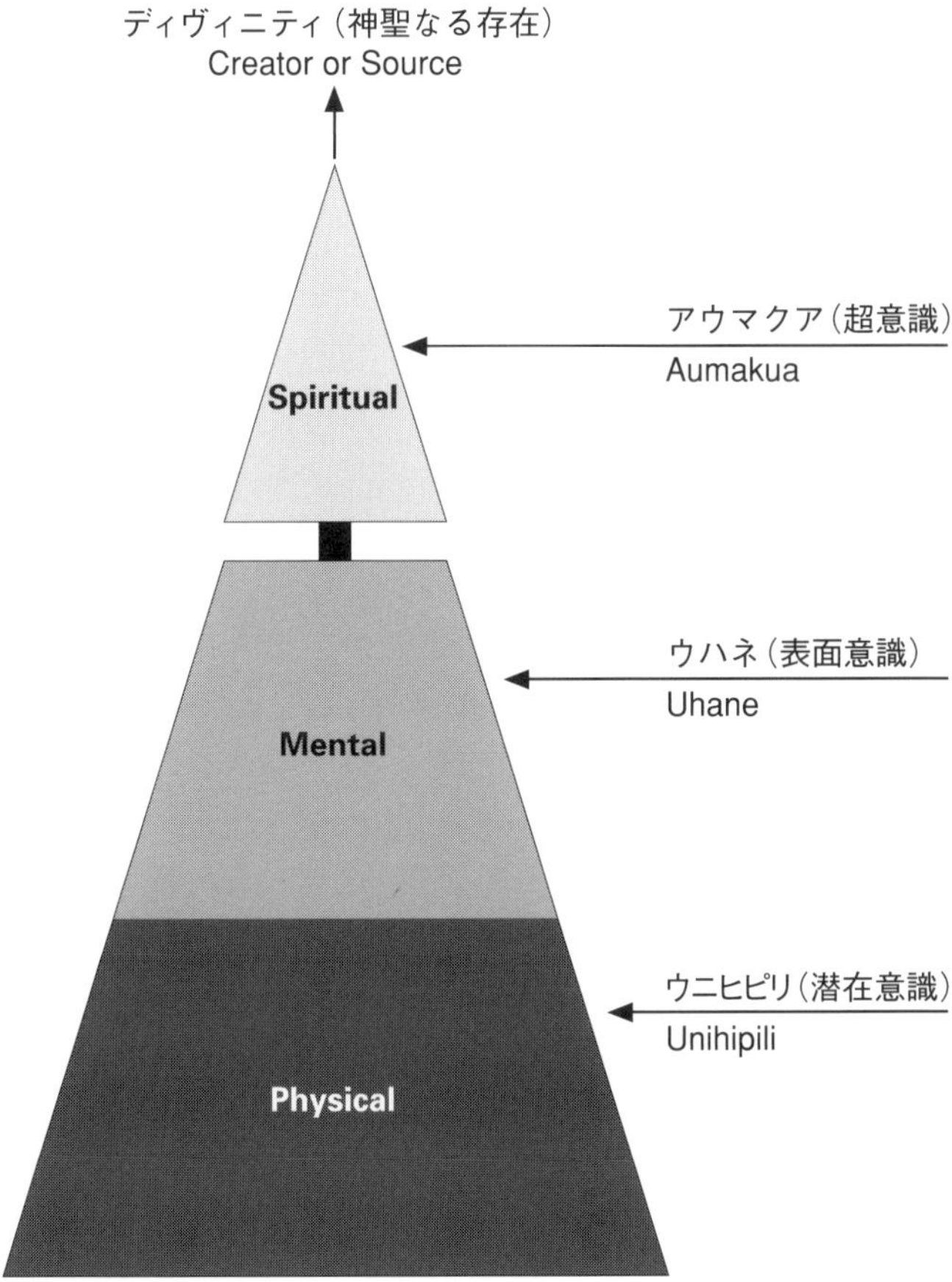

バランスがよい意識の構造

か、仕事上の悩みだとか、相手との価値観の不一致だとか、高速道路に乗ったら大渋滞で困っただとか、まるで原因が自分の外側にあるように当たり前のこととして思い込んでいるようです。

しかし、問題はすべてあなたのなかにあります。あなたの目の前で起きていること、たとえそれが自分のことではなく、他人に起きている出来事であっても、あなたが何かしらそこで体験しているかぎり、あなたの記憶のなかの情報が表面化しているということです。

ホ・オポノポノが伝えたいことは、問題や悩みは、他人や、場所、状況によって生まれるのではないということです。

ウニヒピリがこれまで保管してきた記憶によって生じることなのです。

ウニヒピリはその記憶をパンパンに膨らんでしまうほど保管しており、あなたがウニヒピリに「それらを手放してもいいんだよ」と働きかけない（クリーニングしない）かぎり、あなたは永遠に同じところをぐるぐると回ることしかできません。

だからこそ、ウニヒピリに対してアクションを起こす必要があるのです。

ウニヒピリと交流し、記憶を手放さないかぎり、アウマクア（超意識）、そしてディヴィニティ（神聖なる存在）とつながることはできません。

KR女史

自分自身……つまりウニヒピリを大切にすると、自転車をうまく乗りこなすように、人生を上手に乗りこなせるようになります。

何が起きても落ち着いて対処できるようになります。すべてが、まるで川のせせらぎのように自然に流れはじめ、あなたはあなたの人生に、ごく自然に参加できるようになります。

ウニヒピリを守るためのもっとも優れたシールド（守るためのバリアのようなもの）は、クリーニングです。あなたがクリーニングを絶えずやっていれば、ウニヒピリを傷のないゼロ（無）の状態に戻してあげることができます。

それがこの世でもっとも優れたシールドとなります。

誰にでも同じように言えること、それはクリーニングが今の時点でもっとも優れたシールドであり、クリーニングを続けていけばディヴィニティ（神聖なる存在）がウニヒピリを守るためのシールドをさらに与えてくれます。

忘れないでください。いつだって、どんな状態であろうと、ウニヒピリはあなたのなかにいます。ウニヒピリは、あなた自身のことです。

正直であるということ

KR女史

自分（表面意識）、ウニヒピリ（潜在意識）、アウマクア（超意識）——この三者が一緒になって初めて「わたし」であるという点で、まず最初のステップであるウニヒピリとの交流は必要不可欠です。

常にウニヒピリと交流をしていることは、わたしにとって常に帰れるお家があるようなもの。そもそもわたしはウニヒピリとつながることを知らなければ生きていないと思っています。

ウニヒピリは、ほんとうにわたしに多くのことを与えてくれます。

ウニヒピリがわたしに与えてくれることをいくつかお伝えします。

・インスピレーションが与えられる

（あなたにとって完璧なタイミングで完璧な情報を与えてくれます）

・自然とクリーニングしたい気持ちになる

（何でも無理やりは苦しいもの。お水を飲みたいと思うのと同じようにスムーズにクリーニングの波があなたのなかを流れます）

・ウニヒピリがクリーニングを主導してくれる

（あなたが神経質にならなくても、ウニヒピリがクリーニングに対してリーダーシップをとってくれます）

・今この瞬間にほんとうの自分を体験できる

（未来でも過去でもなく「今」の自分を一〇〇パーセント体験できるのは、生をもつものとして至福の状態です）

・もっともっとほかの人と仲良くなれる

（ウニヒピリとあなたの関係は、まさにあなたと他者との関係をオブラートなしで見た状態です。あなたがウニヒピリに対して無関心であればあるだけ、相手もあなたに無関心です。そして、ほんとうはあなたがいちばん相手に無関心なのです。そのような関係性のなかに愛や癒《いや》しを求めてもむだです。これは恋人、同僚、親子などすべての関係に共通する真理です）


あるクライアントとの出来事を思い出しました。

素敵な女性で、長く結婚生活をされている方でしたが、糖尿病を患っていて苦しいという相談をされました。セッションの途中、わたしのなかで見えるところがあって、

「ご主人を憎んでいるという体験をツールを使ってクリーニングしてみましょう」

そのように申し上げると、それまで穏やかだった彼女が、

「何て失礼なことを言うのよ！」

と突然すごい剣幕《けんまく》で怒りはじめました。

わたしはまず自分をクリーニングしたうえで、

「今起きているその感情に向けてクリーニングすることはできますか？」

と言うと、彼女は静かにクリーニングを始めました。

少し経ってから今の状態を聞かせてほしいと言うと、

「どちらかというと主人のことが好きではないようです」

彼女はそっと言いましたが、しばらくするとこのように表現してくれました。

「主人が憎くてたまりません」

彼女のなかの怒りの感情が顔を見せました。

ここで明らかにしたいのは、決して彼女はセッションの初めに嘘《うそ》をついたのではないということです。あえて自分の感情……ウニヒピリから来る記憶を見ようとはしませんでした。それは無理ありません。わたしたちは、ほとんど眠っている状態です。自分のなかでほんとうに起きていることに気づかないのですから。

その後、彼女の糖尿病はすっかりよくなり、今では、

「この何十年ずっと幸せだと思っていたけれど、あれからは、そんなの比べものじゃないくらい主人と幸せな時間を過ごしています」

とおっしゃっています。クリーニングを続け、彼女が彼女のウニヒピリと交流をも

つことによって、彼女の思いや生活が変化しました。

まずは、わたしたちはウニヒピリが見せてくれようとしている記憶をあるがままに表面化させましょう。それを明らかにし、焦点を当ててクリーニングすることで、真の意味で自分に正直になり、宇宙に対しても正直になれるのです。

クリーニングは自分自身に与えられる最高で最上の贈り物です。

問題に集中していたエネルギーは、新しいエネルギーに変わります。そして、新しいエネルギーは〝愛〟そのものです。

話しかけてみる

KR女史
ウニヒピリと関わりをもつことやお話をすることは、ホ・オポノポノのクリーニングプロセスに欠かせない「ウニヒピリのケア」の一つです。

クリーニングをすることにおいてウニヒピリとうまく交流がとれているかどうかはとても重要なことです。

あなたがウニヒピリに一度でも声をかけたことがなければ、ウニヒピリと関わりをもてないどころか、どんなにクリーニングをがんばったところで記憶の消去やインスピレーションを受け取ることはできません。つまりホ・オポノポノのプロセスもむだになってしまいます。

簡単にまとめると、第一に「表面意識」であるあなたにはクリーニングを始める役割があります。「今体験していることはすべて自分に責任があり、それをクリーニングする」とあなたはあなた自身に宣言する必要があるのです。

第二に、実際にクリーニングをするには、ウニヒピリの存在が必要不可欠です。もし、あなたがウニヒピリを無視してクリーニングのやり方や結果を自分の思いどおりにしようとするなら、はっきり言ってやる意味はありません。

明らかに問題となっている原因は「記憶」があることで、その記憶はウニヒピリのなかにあるわけですから、あなたはウニヒピリと一緒にクリーニングをできるよう優しくお願いしなくてはなりません。

ウニヒピリに忍耐強く愛情をもって話しかけることは、わたしが日々生活をするうえで絶対に欠かさないことです。

わたしは、ほんとうに長いあいだクリーニングを続けてきたおかげで、「あっ！　ウニヒピリに話しかけなくっちゃ！」と神経質にならなくても自然とウニヒピリとのコミュニケーションがとれています。

読者のなかにもそういう方がいらっしゃると思います。

大切なのは、ウハネ（表面意識）であるわたしのほうから関わって、ウニヒピリと仲良くなろう、大切にしようと思う気持ちです。

ホ・オポノポノを実践している方から、

「ウニヒピリとの交流を忘れてしまいますが、どうしたらいいですか？」

という内容の質問がよくあります。ポイントは、あなたが何かに反応したり、感情が波うち、心の中が嵐《あらし》のようになっているときに（よいことでも悪いことでも）今クリーニングしているかどうか、自分に尋ねてみることです。

わたしの場合はウニヒピリとの会話が頻繁にあるので、ウニヒピリのほうから、

「今何かツールを使ってクリーニングをした？」

とわたしに尋ねてくれます。

それに対するわたしの答えが「ノー」だった場合、すぐにツールを使ってクリーニングを始めます。

わたしはこのようにウニヒピリと会話をしていますが、話し合えるのはとても素晴らしいことです。ほんとうの意味で自問自答できるのは、とてもユーモアにあふれた楽しいことですから。

クリーニングを続けて交流できるようになってきたとしたら、何かウニヒピリに直接質問すると答えてくれるようになります。

そのとき、答えが「ノー」であるといいですね。なぜならそこでまたクリーニングできる材料を与えられるのですから。（笑）

ヒューレン博士

自分の側から働きかけて関わりをもたないかぎり、永久にクリーニングできないということがポイントです。

あなたがご自分のウニヒピリとつながりをもてなければチャンスはありません。ウニヒピリはアウマクア（超意識）に願いを届けることのできる唯一無二の存在ですし、そもそもウニヒピリなしでは永遠にクリーニングされないのですから。

「ウニヒピリと自分（ウハネ＝表面意識）が交流をもつ」とは、ウニヒピリを愛し、大切にすることですから、ウニヒピリを心から大切にすれば、すべてはうまくいきます。ほんとうに、すべてがうまく流れはじめます。

2

ごめんね、
ウニヒピリ。

小さな子供の母親のような気持ちで
愛する子が苦しまないよう、
最大限に努力してください。

迷い、傷

ヒューレン博士

あなたの内側には、ほんとうに長い歳月無視されてきた〝部分〟があります。

そしてその部分、つまりウニヒピリは苦しんでいます。

あなたがあれこれと試しては、忘れたり、飽きたり、あきらめたり、考えを変えたりするたびに、あなたの内なる子供であるウニヒピリは疲れきっています。やつれて、もみくちゃになっています。どれがいちばんよいことなのかわからないので混乱しているのです。

わたしたちは、物事はこうあるべきとか、自分はこういう人間だとか決めつけることが多いものですが、そうやってあれこれ思考レベルで考え、問題を解決するとき、そのような価値基準に頼るよりもウニヒピリに、

「この問題は手放すことができるよ。一緒にクリーニングしようね」

と声をかけ、あとはウニヒピリそしてディヴィニティ（神聖なる存在）に任せるほ

うがずっと素晴らしい道が用意されています。これはホ・オポノポノの真理です。

KR女史

さまざまなことがウニヒピリを迷わせてしまっています。

基本的にほとんどの人のウニヒピリは、幼い子供のような状態です。実際に小学校にあがる前の子供に「あれしろ、これしろ」と指示を出せば混乱します。これまでの長い人生（あなたが生まれるはるか昔から）のなかで、ウニヒピリに向かって示されたバラバラの指示や目標を、ホ・オポノポノのプロセスによって解除していくのは至難の業《わざ》です。

ホ・オポノポノでは今の人生だけでなく、この世の始まりから蓄積された記憶をクリーニングするわけですが、それでも「今」が重要です。「今」が鍵《かぎ》だからこそ、過去にさかのぼれるのですから。

これだけを聞くと、まるで壮大なことをやってのけるように思いますが、大切なのは、ホ・オポノポノのプロセスを通じてウニヒピリとよりよい関係を築き、あなたが優しく、かつぶれずにクリーニングを教えていくことで、ウニヒピリはその壮大な作業に難なく取り組めるようになるということです。

しかし、それらを期待ばかりして、あなたがいっぺんにウニヒピリに知識だけを詰め込むと余計に疲れさせてしまいますから注意してください。

ヒューレン博士

ポイントは、あなたが心からウニヒピリを大切にしているということを、その子自身が感じられるようにすることです。

いろいろな方法がありますが、小さな子供の母親のような気持ちで愛する子が苦しまないよう、最大限に努力してください。まずは自分自身をないがしろにすればするほど、ウニヒピリが犠牲になっているということに気づいてください。

あなたが再生されている記憶に振り回され、まわりの期待に応《こた》えようと必死に動けば動くほど、ウニヒピリは苦しみます。あなたはがんばっているつもりなのですが、残念ながらこれはクリーニングとは対極にある行動です。

誰でもクリーニングによって変わることができます。

ホ・オポノポノの美しいところは、ウニヒピリとの関係がよくなれば、問題が何なのか、その問題にどうやって取り組むのかを、ウニヒピリが明らかにしてくれるということです。

そうしていくなかで、本来もう一人の自分であるウニヒピリに心から自然と感謝し、「この子のおかげ」と思いながら生きていけるようになるのもまた美しいことですよね。

苦しみ

KR女史

ウニヒピリとのコミュニケーションにおいて、クリーニングでもなんでも、その場で必要とされる以上に自分の気がすむまで疲れ果てるまでやろうとする人がいます。みんながんばりすぎてしまうのですね。

やりすぎたり、逆に足りなかったりするのは、ウニヒピリと上手な交流ができていない証拠です。ウニヒピリとの関係がスムーズであれば完璧《かんぺき》なタイミングや、完璧な量をウニヒピリがいつでも教えてくれて、自然とあなたにもわかるからです。

がんばりすぎはバランスを乱すもとですが、意識の側が支配的になると、そのように力が入ってしまいます。ウニヒピリに対して過剰な量の仕事を無理やりさせているわけですから、がんばった相応の結果を求めても残念ながらむだになってしまいます。

ウニヒピリの声を無視して、あなた＝表面意識の側が勝手に張り切って二四時間フル活動したところで、ウニヒピリと協力して働くたった一〇分より、よい仕事ができるはずがありません。

とても成功しているビジネスマンの友人と話していたときのことです。

その方は「より賢く働き、がんばらないこと。それが成功の秘訣《ひけつ》です」と言いましたが、わたしにはそれが「成功したければ、常にウニヒピリとともに働き、クリーニングしなさい」と言っているように聞こえました。

あなたががんばりすぎることで、あなただけでなく、ウニヒピリを虐待しているのとほとんど同じ状態になってしまいます。

成功でも真の幸せでも、なんでもそうですが、あなた自身がケアされてピカピカの状態になったときに、それらはやってきます。

自分のケアの秘訣は、あなたのなかにいるウニヒピリに関心を向け、問いかけつづけることです。クリーニングしつづけることです。今働くべきか、遊ぶべきか、休むべきか……ウニヒピリにいつでも問いかけて、あなたとウニヒピリの関係が常に親しく、信頼や愛情に満ちた状態にしておきましょう。ウニヒピリが燃え尽きないようにね！

ウニヒピリと築く信頼関係はあらゆる状況で大変役立ちます。

現代社会では、ビジネスで成功したければ、お昼休みの代わりに一人でも多くの人とコネをつくりなさいとか、仕事が終わったあともたくさんの趣味を見つけて自分の引き出しの数を増やしなさい、などと勧められますよね。もちろんこれらも一つのやり方かもしれません。

しかし、このような方法を勧める人や実践する人が、ほんとうに目指す結果は、自分＝表面意識の側とウニヒピリが信頼関係を築いてはじめて生まれるものです。

これら二つの自己が自分たちにとって何が今いちばん正しく完璧かをウニヒピリと確認しあうなかで、はじめて成功は見えてくるものなのです。

ヒューレン博士

わたしが自分、つまりウニヒピリのケアとして毎日大切にしていることは、何が起きても、どんなときも、ホ・オポノポノに絶え間なく立ち戻り、その一瞬一瞬に心から感謝するということです。生きていれば、ありとあらゆることが起きるかもしれませんが、クリーニングさえしていればほんとうは大丈夫なのですから。

何かが起きたときに、あなたの「常にクリーニングするんだ」という姿勢を見ることでウニヒピリは安心します。するとウニヒピリはあなたが忘れているときでもクリーニングをしてくれるようになります。これは、ほんとうです。

そして、あなたがあなたの記憶をクリーニングさえしていれば、ほかのまわりもちゃんとクリーニングされます。

わたしたちは誰かを救おうとしているのではありません。他人や自分以外の何かをどうこうしようという考えは、ウニヒピリにとってもほんとうに負担なのです。とても痛くてつらい負担です。

たくさんの本やレクチャーで「自分を愛することが成功への近道である」と言われていますが、わたしもそれに賛成です。

ただ〝自分を愛する〟というとあまりにも漠然としていて「ただ自分の好きなことだけすればいいの？」とか「あまり無理をしなければいいのね」とか疑問が残ることが多いように思えます。

ホ・オポノポノ的に説明をするならば、〝自分を愛する〟とは〝ウニヒピリを愛する〟ことで、ただ自分の欲に従うという意味ではありません。

「クリーニング」こそが、まずあなたに今できる〝ウニヒピリを愛する〟具体的な方法なのです。

からだとウニヒピリ①

KR女史

ウニヒピリは身体を司《つかさど》ります。

あなたがウニヒピリと積極的に交流をとり、よい関係を築くことで、ウニヒピリは記憶を集めて積極的にホ・オポノポノのプロセスに取り組み、クリーニングができるようになります。その結果、身体にもよい影響を与えます。

ウニヒピリを大切にケアしながら交流を続け、あなたとの関係がよい状態だと、そろそろ休憩したほうがいいよとか、今は遊ぶ時間よとか、あるいは食事をとったほうがいい、何を食べたらいいよ、ということがわかってきます。

昨今、ご自分のからだのためにと、プロのパーソナルトレーナーに日々の運動メニューや食事メニューを決めてもらっている人が多いようですが、まさにウニヒピリこそが細部にわたってあなたに適切なアドバイスをしてくれる最高のトレーナーです。ウニヒピリがあなたの身体の管理をしているので、関係がよくなるとそういったことがどんどんわかっていきます。

わたしは仕事の一環で、ボディワーカーとしてマッサージもするのですが、マッサージを受けるご本人のお話よりも、その方のウニヒピリが身体について言っていることをよく聞きます。

クライアントがマットに横になり、わたしがマッサージの準備ができたことを伝えると、クライアントは「ここが痛い」とか「ここをどうしてほしい」などと教えてくれます。

もちろん了解して患部も診ていきますが、実際いちばん注意しているのは、わたしとクライアントのそれぞれのウニヒピリの声と、クライアントの身体そのものの声なのです。ウニヒピリが身体について話していることに耳を澄まし、クリーニングしながらマッサージしていくと思いもよらないことが起きたりします。

また、マッサージ中にツボのポイントを押され、痛いとおっしゃるクライアントがいらっしゃる場合も、わたしはすぐにクリーニングします。

ご家族との悩みごとやほかの問題を抱えていたりして、それがツボに痛みとして現れているわけですから、とにかくわたしは起きることすべてをクリーニングしていきます。

ヒューレン博士

わたしはよくこのような相談を受けます。

「わたしの夫は高血圧でとても困っています。助けてください」

このような場合まず理解すべきことは、問題はわたし（ヒューレン）自身のものであり、わたしがその話を聞いたということは、わたし自身がこの問題とつながりが実際にあるということを察知することです。

大切なのは、問題として何かが起きたときに、外ではなく自分自身、つまりわたしのウニヒピリと関わることです。わたしのなかのどのような記憶の再生によって、その女性が、彼女のご主人が高血圧で苦しんでいるとわたしに話しているのか……ということを自分のウニヒピリに問いかけます。

その際、それがどの記憶なのかを表面意識の部分では的確に探し当てることは不可能ですから、ウニヒピリにお願いして、あとは任せます。

これはとても重要なポイントです。
ウハネ（表面意識）、つまり母親であるあなたの役割は三つあります。

1. 心をこめてウニヒピリに関わること

一日の始まりから終わりまで絶えず深い愛情で心を配ります。

2. 直接神聖なる存在（ディヴィニティ）に関わること

あなた（表面意識）が神聖なる存在から与えられるインスピレーションに基づいて行動します。

3. 絶えずクリーニングをすること

問題はあなたのなかにあり、あなたが関わる人々、建物、お金、物事にあるのではありません。あなた自身のなかにあるものにふれられるのは、あなただけです。そして問題としてあなたの前で起き上がっていることは、じつはウニヒピリが保管していた記憶が再生しているだけで、クリーニングを通してその記憶を消去することができます。

ウハネ（表面意識）＝母親であるあなたの仕事は、ノンストップでクリーニングを続け、ウニヒピリ（潜在意識）という子供にたっぷりの愛で関わりつづけること。そしてインスピレーションを求めることです。

からだとウニヒピリ②

ヒューレン博士

あなたはクリーニングを通して、今現在あなたが体験していることに影響をおよぼした（原因となった）あらゆる過去に働きかけます。あなたが問題と認識していることは、すべて過去の記憶の再生にすぎません。人間関係、仕事、心の問題のみならず、健康状態（病気）までもが、地球が誕生してから蓄積されてきた何らかの記憶の再生が原因です。

物忘れも記憶の再生によるものです。

「思い出せない」ことにまつわる何らかの記憶の再生が、あなたに物忘れを体験させています。ホ・オポノポノでは、このときに物忘れを直すためにクリーニングするのではなく、ウニヒピリがあなたの物忘れを通して見せてくれている記憶をあなたがクリーニングによって消去することを目的とします。


例えば、病気の一つとして高血圧症を例にあげると、あなたにできることは大きく分けて二通りあります。

一つは、もちろん身体上の治療です。遺伝、食事、運動不足、体重などの要因から発症します。ですから身体的にアプローチする場合は、生活環境や遺伝など、病状をもつその人個人に着目し、改善を目指します。人は身体のことなら自分の力または医者や薬の力でなんとかしようと、みんなからだのケアには余念がありません。

もう一つの方法は「ホ・オポノポノ」です。内側に焦点を当てることをします。魂レベルで過去と歴史をウニヒピリとともに見ていくところから始まります。

魂レベルとは、生い立ちの歴史という意味ではなく、地球誕生以来積み重ねられてきた歴史、つまりウニヒピリのなかに否応《いやおう》なく溜《た》め込まれてきた記憶です。

その記憶がどんなものであっても、責任を取り、クリーニングする役目は表面意識であるあなたにあります。あなたはクリーニングするときに、クリーニングツールを使うことができます。

次の章で詳しくふれますが、あなたが知っているツールを率先してウニヒピリの前で使っていくことで、記憶を消去すること、つまり変換への願いがウニヒピリに届けられます。そうすることによってウニヒピリはその問題の元となる記憶を探し出し、そっと優しく扱いながら父であるアウマクア（超意識）へと届け、最終的にディヴィニティ（神聖なる存在）が受け取ります。ディヴィニティはその記憶を消去したり、変換をさせてくれます。

いったんその記憶が消去されると、もともと記憶があったところは、何もなくなります。最後にはインスピレーションがそこを満たします。このようにして人は病気など問題とされている記憶の再生からはじめて解放されるのです。

アメリカのコロラド大学とハワイ大学では、実際に高血圧症治療の一環としてホ・オポノポノが用いられています。成果は、一ヶ月後、二ヶ月後と検証されましたが、血圧は顕著に下がりました。

起きることはすべて自分の責任というのがホ・オポノポノの考え方です。あなたの身に起きることはもちろん、あなたの家族、友人、さらには隣人に起きることまであなたは自分でクリーニングすることができます。

ここでまた高血圧症を例に出してお話ししましょう。

◎もしも、あなたが高血圧症だとしたら

自分のなかのどの記憶が高血圧症という現象を生み出しているか、クリーニングの作業を続けることでウニヒピリにその原因となるところを見つけ出してもらい、ゼロにしてもらいます。

◎もしも、あなたの友だちが高血圧症だとしたら

あなたは、その友だちのためにクリーニングをするのではなく、ただ今起きている現象そのものをあなた自身の記憶の再生によるものとしてクリーニングしていきます。

自分のなかの一体どの記憶が原因で友だちが高血圧症で苦しんでいるという現象を生み出しているか、自分自身のクリーニングを通して、ウニヒピリにその記憶を掘り起こしてもらい、ゼロにしていきます。

この二つの現象は一見、自分が当事者かまたはそうでないかということで決定的に違うように見えます。

しかし、あらゆる現象の原因が自分の記憶の再生であるという点では、すべてその現象の原因となる記憶をウニヒピリに見つけてもらい、クリーニングすることで、根本的な問題解決を導くことができます。

ホ・オポノポノを治療として用いる場合、患者はもちろん、教える側や医者も一緒にホ・オポノポノをしていきます。医者や学者が、医者はただ患者を治すという立場ではなく、今目の前に高血圧症で苦しんでいる患者がいるという体験をしている自分たちに向けてこそ、クリーニングをしてその記憶となるところを消去します。

この世が誕生してから積み重ねられてきた記憶を、わたしたちはみんなで共有しています。そして今、あなたがこの瞬間、記憶を消去することで、そのうちのどれかの記憶は消去されます。記憶を消去できるのはあなたです。

何か病気やけがなどをした際に、からだに直接働きかける治療は現代ではごく一般的なことです。しかしホ・オポノポノではからだは原因ではなく結果です。

肉体は歴史、積み重ねられた記憶の結果です。あなたの魂が経験してきた歴史、記憶があなたのからだ、人間関係、感情を通して表現されているのです。

記憶を消去させるためにウニヒピリはあなたに対してあらゆる表現を使ってそのことを気づかせ、クリーニングできるチャンスを与えてくれています。

生理学では、からだを形成する成分の一つがタンパク質だと学びます。

しかし、ホ・オポノポノでは、今のあなたのからだの結果をつくり出している源は、「記憶」です。はるか昔から何百世代をさかのぼる歴史の産物として今のからだがあります。

ホ・オポノポノ的に考えるなら、学問上で何かからだに問題があるときに体重、コレステロールが原因だとしてそこを改善しよう、というだけでは不十分です。その原因としてあげられる体重、コレステロールも記憶の再生による結果なのですから、もっと根本的に解決を導き出したいとわたしは考えています。

問題をからだ、つまり表面的にのみ解決しようとすると、あなたのなかの大切な一部、つまりウニヒピリが置き去りにされてしまいます。せっかく問題に対して働きかけができるチャンスを逃してしまいます。

「病は気から」と言われるように、精神面でも問題解決にアプローチすることが増えてきました。

表面的につまり意識の部分であなたは、「人生はこんなに素晴らしい！　まだまだがんばれる気がする」とか「きれいな空気を吸っているだけで、暴飲暴食が減ってきたぞ！」と言って一時的な解決を導き出せるかもしれません。

しかし、あなたの内側では、大きな変化の準備をしていたウニヒピリがチャンスを失ってしまうため、またいつかの時点で問題を起こす、つまり記憶を再生させてしまうことになるでしょう。

発想として「思い」がからだに現れるのであれば、四つの自己同士（あなた、ウニヒピリ、アウマクア、ディヴィニティ）のつながりであるホ・オポノポノによって、実際に病気がからだに現れるまでに、その原因である思い（記憶）に働きかけることができます。

ホ・オポノポノは内なるエネルギーの解放を通して、つまりこれまで消化することができずただゴミだめのようにされてきたウニヒピリから一つひとつ重荷を取り除いてあげる作業を通して、四つの自己が本来の働きができ、インスピレーションが得られるようにしてくれます。

外側の誰かではなく、あなたがあなた自身に対してホ・オポノポノを行うことによってできる、からだへの大きなアプローチがあります。その結果として血圧を下げたり、太りにくくなったりと健康問題にも結果が現れるようになります。

3

ゆるしてね、
ウニヒピリ。

ウニヒピリは知っています。
あなたが記憶を手放すと、
驚くほどの展開が待っていることを。

クリーニング

KR女史

起きることの責任はすべて自分にあるという立場は、とても深いあり方だと思います。常にウニヒピリの存在を認め、一緒にいる状態を続けると、クリーニングすべきことがとめどなく現れてきます。ところが、たいていの人は自分に責任があることにさえ気づかないし、たとえそうだと教えられても、日々どれが自分の責任か、実感できません。

クリーニングをしていくと、自分でも気づかなかった間違いを正すことができたり、驚くようなことが起きたりします。クリーニングの結果、ウニヒピリが与えてくれることは予想もしないようなことですから、たとえささやかなことでも楽しいです。そんなサプライズギフトをもらえるのは、あなたがあなたの意志でクリーニングを始め、ウニヒピリに交流をもちはじめたからなのです。

その瞬間からあなたの魂は進化し、より大きなスケールのなかで人生が動きはじめます。また、才能や能力が開花していきます。それこそが、セルフ・アイデンティティ・スルー・ホ・オポノポノ（ホ・オポノポノを通して本来の自分に出会うこと）なのです。ウニヒピリは知っています。あなたがホ・オポノポノをすることで、あなたが自らを縛っている記憶を手放すと驚くほどの展開が待っていることを。

まずウニヒピリを大切にすれば、おのずとあなたの方向が見えてくるでしょう。

ヒューレン博士

クリーニングに集中すると、あるとき突然ぱっとわかることがあります。

クリーニングで得たことは豊かです。頭を使い、何かを暗記してわかることとはまったく違うフィールドで本質が理解できることがあります。あなたが行動に移る前にすでに用意されていたかのように、完璧《かんぺき》な状態であることが数多くあります。

それを求めて期待することがホ・オポノポノの目的ではありませんが、ウニヒピリとともに一瞬一瞬クリーニングするなかで、たまにご褒美のようにわたしが今知るべきこと、理解すべきことを運んでくれます。ときにそれは仕事のアイディアだったり、人との新しい出会いや別れ、自然の美しさであったり、死の恐怖からの解放やその瞬間の賢さだったり、数多くの気づきを与えてくれるのです。

それもこれも、とにかくあなたとウニヒピリの関係次第です。あなたがクリーニングしないかぎり、あなたはますます人生の仕切り屋になり、ウニヒピリの存在を遠ざけます。クリーニングしているときでさえ、ウニヒピリを無視しようとします。

「このプロジェクトを成功させるために、この記憶を消去してくれ！　わかったね！」

などと話しかけるのは、ウニヒピリにとっては存在を無視されているのと同じです。一瞬一瞬ウニヒピリとともにあることで、ウニヒピリがクリーニングすべきことを与えてくれます。

ホ・オポノポノのクラスでは、日々の生活におけるクリーニングの取り入れ方や「12のステップ」を話します。しかし、なかにはわたしが何の話をしているのかわからない、とおっしゃる方もいます。

このことの根本的な問題は、そのわからない方にあるのではなく、すべてわたしの責任です。わたしがクリーニングをやりそこなったのです。一瞬一瞬、絶え間なくクリーニングしていなかったのです。

「そういえば、あの日、銀行に行く前にクリーニングしていただろうか？」

「ウニヒピリに、ちゃんと教えてあげていたっけ？」

「あの日メールを開く前は？」

「クラスの会場の担当者の名前は？」

「庭で枯れていた草を抜くときは？」

「ツールを使っていただろうか？」

「クリーニングしていただろうか？」


そうやって振り返ってみると、すべてにおいてパーフェクトにやれてはいなかったと言わざるをえません。とにかく今この瞬間のクリーニングが、いつどのときの結果としてやってくるのかは誰にもわかりません。しかし、ウニヒピリが今体験させてくれている記憶の再生をクリーニングすることで、わたしたちにはわかりえない大きな変化が必ず訪れるのです。

KR女史

わたしたちには、一体どの記憶がこの苦しみという体験を運んできたのかはわかりません。それは記憶を管理しているウニヒピリのみが知っていて、今あなたにクリーニングしてもらうために再生しています。表面意識であるあなたには知る必要もないのです。

しかし、あなたには選択する力が与えられています。何を選ぶかというと「クリーニングする」という選択です。ウニヒピリが現してくれたあなたの苦しみや痛みの原因となる記憶をディヴィニティ（神聖なる存在）が消去できるように、願い求めるかどうか、決定するのは表面意識であるあなたです。

あなたの仕事は、クリーニングするんだと決意し、実行することです。ひたすらウニヒピリとともにクリーニングを選びつづけることです。記憶はとても長いことわたしたちのなかに食い込んでいるため、ウニヒピリが抱えている記憶の数は膨大です。

モーナは、

「人生は、一瞬一瞬、クリーニングしつづけることでしかない」

そう言っていました。

ヒューレン博士

……とはいえ、言うのは簡単ですが、実行するのはなかなか大変ですよね。ホ・オポノポノのクリーニングはシンプルですが、継続するのは実際にやってみると大変難しいことです。それでもわたしが続けてきたのは、クリーニングのほかにわたしにできることはない、と知っているからです。

ほかに何があるのかわたしにはわかりません。日々どんなことをしているときでも誰に会っているときでも、クリーニングをすること以外、わたしがわたしでいられることはありませんし、そこに光は存在しません。KRが言っていたように、クリーニングによりゼロの状態に戻ることで、あなたは本来の自分でいられ、さらにあなたにとって必要なインスピレーションや才能が発揮されます。

このことはあなたのためだけでなく、すべての人や存在、出来事のためになることです。あなたが自分自身を見つめることによって、すべてに光を与えることができます。

ほかをなんとかしようと働きかけるのではなく、あくまでも自分に対して働きかけるというところがわたしはとても好きです。そこが始まりであり、すべてだと思っています。自分が見ること、聞くこと、ふれること、感じること、何があっても自分のなかで起きている何かが原因である、という点に焦点を当てていきます。そこではあなたにもわたしにも答えはわかりません。

わからなくてもあなたがクリーニングを続けることで、ウニヒピリはその問題の原因となる的確な記憶を探し出し、あなたが始めたこのプロセスによってあとはディヴィニティ（神聖なる存在）が変換し、消去し、ゼロの状態に戻し、最後にはインスピレーションとしてあなたに与えてくれます。

役割

KR女史

それでは具体的に、どのようなプロセスでウニヒピリがあなたと共同作業を始められるのか、ちょっと順番にお伝えします。

1. あなた（表面意識）がホ・オポノポノを学びます。

2. あなた（表面意識）がクリーニングを始めます。

ここまでが基本です。

3. あなた（表面意識）がウニヒピリ（潜在意識）に働きかけ、ホ・オポノポノのプロセスに参加してもらいます。

4. あなた（表面意識）がウニヒピリを尊重し、尊敬しながらケアしていきます。

5. ウニヒピリがあなた（表面意識）とコミュニケーションをとれるよう練習を重ねます（辛抱強く愛をもって話しかけつづけます）。

6. やがてウニヒピリは自らクリーニングに参加しはじめます。

7. あなた（表面意識）とウニヒピリは記憶の消去を共同作業していきます。

8. アウマクア（超意識）がこの作業を引き継ぐ形で、この一連の作業にさらに磨きをかけます（余分なものを取り除き、必要なものがあれば加え、この作業の最終的な形まで導き出します）。

注意してください。ここではあなた（表面意識）の意図や期待はクリーニングの妨げになります。すべてウニヒピリの働きに感謝して、神聖なる存在に任せることがポイントです。

9. あなた、ウニヒピリ、アウマクアの三者によってクリーニングされつづけた記憶は、最終的にディヴィニティ（神聖なる存在）に届いてゼロになり、あなたのもとにインスピレーションとして現れます。

この三者による一連のプロセスのなかでも、ウニヒピリはあらゆる感情的体験、記憶を集めだすという重要な役割を担っています。この作業がないかぎり、永久にクリーニングが完了されないのは、もうおわかりですね。

クリーニングのコツは「ウニヒピリと深く関わること」です。

ウニヒピリとの関わりが深ければ深いほど、今の状況を「よい」や「悪い」という判断によってにごらせることなく、もっとスムーズに、インスピレーションに従って判断していくことが可能になります。

結果的に、あなたが何か人生において障害を体験したときでも、ウニヒピリはそこで記憶の再生としてあなたとともにクリーニングを始め、大きな変化に向けてあなたを導いてくれます。

ウニヒピリと仲良くなり、クリーニングの流れに身をゆだねることができるのは、わたしがこの世で知っている、もっとも美しいプロセスです。

図書館

KR女史

ウニヒピリにとって母親であるあなたの仕事はクリーニングを始め、積極的に子供とつながりをもつことです。

そして、子供であるウニヒピリの仕事は、あなたからの情報と記憶庫にしまわれたありとあらゆる記憶を集め、クリーニングの対象となるものを導き出し、消去されるまでクリーニングをしていくことです。

ウニヒピリとして、わたしがよくイメージするのは、図書館に駆け込む小さな子供です。

その図書館には何百万、何千万もの本が納められたフロアが何階にもわたってあります。小さな子供は、その図書館のスペシャリスト。膨大な本のなかからぴたりと的確な本を見つけ出すことができます。子供はこんなふうに言っています。

「どこに行けばその本があるのか、僕にはよくわかるんだ。ほら、ここにあったよ!

僕たちはこの本を使って、ホ・オポノポノをするんだ！」

そして今度は、あなたとウニヒピリは、一緒にアウマクア（超意識）へ、その本（記憶）を送ります。アウマクアはその記憶にさらに磨きをかけ、ときにはさらに必要な情報や要素を加え、純化したものとしてディヴィニティに届ける――これがホ・オポノポノのプロセスの概要です。このプロセスの初期段階であなたはできるだけウニヒピリの記憶に不純物（期待）を加えないことです。ウニヒピリが本来の能力を発揮するために、あなたがあなたの役割にただ集中することも大切なポイントです。

共同作業

KR女史

わたしは日々の生活のなかで、何を見るときも、何を食べるときも、話すときも、決断するときも、どんなときでもウニヒピリと共同作業をしたいと思っています。

共同作業をするうえで大切なのは相手を尊重することです。美しいことや嬉《うれ》しいことを体験するときだけ相手を評価したり、感謝したりするのではなく、出てくる感情や気に障る出来事など、まずは何でもクリーニングするように心がけています。

例えば今、何かにわたしが腹をたてることを体験しているとしたら、それを直そうと無理やりポジティブな感情にもっていくのではなく、ウニヒピリに向かってこんなふうに話しかけます。

「あぁ、こんな記憶があったのね。OK！」

これが常日ごろ、わたしが自由と感じている自分の基本的なあり方です。どんな状況であっても常に平和で安定しているというわけではなくて、ただどんな状況や感情のときでもウニヒピリと関わっていたいという、わたしらしい姿勢です。

次にわたしはこう話しかけます。

「あなたがどんなにすごいものを溜《た》め込んでつらい思いをしてきたのか、この出てきた感情を体験してみて、よーくわかったわ。これを一緒に、どんなふうにクリーニングできるかしら？ ホ・オポノポノのプロセスをする準備がようやくできたわ。一緒に協力してくれる？」

わたしはわき起こる感情と戦いません。感情として出てくる記憶を押し殺すのはよくないです。その感情にただただ流されるのも同じこと。ウニヒピリの働きをむだにすることになります。

ヒューレン博士

わたしたちはウニヒピリとともにクリーニングをしていくうえで、ウニヒピリをトレーニングすることができます。

トレーニングの中心はKRの言ったように、まずは起こることすべてを自分のなかの記憶の再生として、

「こんなことを見せてくれたんだね。わかったよ」

と受け入れることです。押し込めたり、否定したり、あなたの頭でジャッジして片づける必要はありません。出てきたら出てきただけ、クリーニングするだけでいいのです。

恋に落ちようが、怒り狂おうが、絶望しようが、どんな記憶が再生されようとクリーニングをします。すると自分の働きを認められたウニヒピリはあなたとともに、クリーニングの目的を達成することを始めます。つまり記憶の変換作業です。神聖なる

存在が、怒りを愛に変換してくれるのです。

これを続けていけばいくほど、ウニヒピリはあなたからの愛を感じ、あらゆる残虐行為、恐ろしい記憶でさえも、「もうこの人とクリーニングしてもいいんだ」と判断し、自ら進んであなたの前にその記憶を現しはじめます。

誰だって自分の苦しく、生々しい過去を人に打ち明けるのには勇気がいります。

このような苦しい記憶は、長くウニヒピリのなかに押し込まれてきた固くて痛々しいものです。こういった記憶でさえもウニヒピリがあなたに見せ、そこであなたがクリーニングの準備ができていたら、それはそれはしめたものですよ。

KR女史

何かを体験したり、感情が出てきたりしたときは、すぐにその場でクリーニングすることが大切です。「あとで時間ができたらゆっくりね」とか「あと一〇分で」とかウニヒピリが記憶を再生したときにあなた側から制約をつくることは、あまりいいことではありません。ウニヒピリは今この時点で何をクリーニングすべきか知っています。だから今、あなたにこの記憶を見せているのですから。

一日に一回ではなく、一日中ウニヒピリと関わっていくようにしてください。

ウニヒピリが何かを発信したことを感じたら、その都度優しく接します。優しく接したり、後回しにしないというのは、今ある仕事や人との会話を放り出して一人瞑想《めいそう》を始めなさいというのではありません。あなたが知っているツールを一個でも使ってくれたらあとはウニヒピリが理解し、クリーニングが始まるのですから。

ヒューレン博士

あなたが意識しないところでも、ウニヒピリが自然とクリーニングできるようにすることもできます。これはあなたとウニヒピリとの関わりが、日ごろどれだけ深く愛に満ちたものかによりますが、「ブルー・ソーラー・ウォーター」を飲んだり、前に述べたウニヒピリのバッグを使ったりと、クリーニングツールを使うことができます。何もないときこそクリーニングに立ち戻ることをふだんからやっていれば、あなたが気づかないことに対してもクリーニングできるようになります。

はっきりと心に留めてほしいことがあります。

それはウニヒピリ自身が問題に巻き込まれているわけではないということです。

もし、「これはあなたの身に起きてることじゃない、たんなる記憶の再生にすぎない」とあなたがホ・オポノポノを通して学んだことをウニヒピリに理解してもらえたら、ウニヒピリはどんな記憶が出てきても「もう大丈夫だ」と受け止め、率先してクリーニングに取りかかることができます。

どんな記憶でも再生されるがままに受け止め、あなたとウニヒピリで一緒にクリーニングできるようになるといいですね。

クリーニングツール

KR女史　ホ・オポノポノを学んでいくうえで、さまざまなクリーニングツールと出会いますが、ツールを使うことによって、あなたのなかで何が起きているかご存じですか?

ツールを使うこと……それはあなたとウニヒピリ、つまり表面意識と潜在意識がつながりをもち、共同作業ができるようになることです。

あなたがウニヒピリとともに働いて記憶のなかの情報を集め、その情報を記憶の消去の流れのなかに加えていくと、父親であるアウマクア（超意識）は、その記憶の消去という願いをさらに純化し、ていねいに磨きをかけ、「神聖なる存在」のもとに届けます。

神聖なる存在のもとにこの願いが届くと、それは大いなる変化としてあなたの人生に現れはじめるのです。

ホ・オポノポノには、ウニヒピリとコミュニケーションをとるための、たくさんのツールがあります。代表的なものをいくつかご紹介いたしましょう。

- **四つの言葉**
- **ブルー・ソーラー・ウォーター**
- **アイスブルー**
- **ゴールドドラム**
- **ドラムスティック**
- **ブルーメッシュ**

まず、ホ・オポノポノでは、次の「四つの言葉」をとても大切にしています。

「ありがとう」（Thank you）
「ごめんなさい」（I'm sorry）
「ゆるしてください」（Please forgive me）
「愛しています」（I love you）

ホ・オポノポノのクリーニングツールの一つである〝四つの言葉〟をただ言うことで次へのプロセスが起こります。

（「愛しています」という言葉には、ほかの三つの言葉も含まれるので、あなたが「愛しています（四つの言葉を総括する）」と言うだけでいいのです）

1. 言葉は意識を超えてあなたのなかに響き渡ります。

2. 言葉が起動装置となってウニヒピリに届くと、今この瞬間、ディヴィニティ（神

聖なる存在）によるクリーニングの必要な記憶が自分の〝記憶庫〟のなかから探し出されて寄せ集められ、ウハネ（表面意識）であるあなたの前に差し出されます。

3. あなたとウニヒピリが二人で一つとなって、記憶の集合体をアウマクア（超意識）に届けます。

4. アウマクア（超意識）は、それをディヴィニティ（神聖なる存在）に届ける前に、さらに純粋に磨きをかけ、何度でも何度でも清めます（この時点であなた、ウニヒピリ、アウマクアは三人で一つとなっています）。

何に対して「愛しています」と言うのかわからない人がいます。一日一〇〇回以上、言われたとおり唱えているのに何も変わらない！　と怒りをもっています。ホ・オポノポノではもちろんその〝わからない〟も記憶としてクリーニングします。そのクリーニングを怠ったまま、わからないを抱えたままで、例えば、

「愛しています、愛しています、愛しています、愛しています……」とただただ唱えていても大いなる変化は起こりません。

ここで矛盾を感じる方に例を出してお話をさせてください。

あなたの恋人が疲れているとします。

じつは、あなたと会う前に、恋人は会社で、それも上司から後輩がたくさんいる前で、さんざん怒鳴られていたのです。

彼の業績、彼が提案したプラン、彼の性格や人格までもこっぱみじんになるまで否定されました。その恋人は、そこで恥をかきました。そして、後輩からもう信用してもらえないのではないかと自信を失いました。

その恋人にとってはベストを尽くしたプランを感情的に否定されたために怒りでいっぱいです。人格についてまでも悪意をもって怒鳴られたために、自分を消したいくらいの気持ちかもしれません。

会社を出てあなたとの待ち合わせの場所に行くまでのあいだに、あまりの恥ずかしさ、苦痛、痛みのせいで、生きる気力さえ失いかけています。もしくは、上司にどんな復讐《ふくしゅう》をしようか、頭のなかはそのような思いでいっぱいです。

ひょっとするとそもそもこんなことになったのは、親のせい、恋人のせい、この国のせい！　と、とうとう「どこかほかの国へ逃げてしまえ！」と緻密《ちみつ》な逃亡計画を立てているかもしれません。

そんななか、あなたと恋人はこのようになりました。

あなた「愛しています」
恋人「……」
あなた「愛しています」
恋人「……」
あなた「愛しています」
恋人「……」
あなた「愛しています」
恋人「……」
あなた「愛しています」

恋人　「……」
あなた「愛しています」
恋人　「……」
あなた「愛しています」
恋人　「……」
あなた「愛しています」
恋人　「……」
あなた「愛しています」
恋人　「……」
あなた「愛しています」
恋人　「……」
あなた「愛しています」
恋人　「……」

六時間後、あなたは無視されつづけたことに腹を立て、黙って恋人の元を去りました。または無視されつづけたことがあまりにも悲しくて、恋人に別れを告げました。

悲しい悲しい結末ですね。これは何の例かというと、最初にお話をした「わからない」をクリーニングしないまま「愛しています」のツールを使いつづける方とウニヒピリの関係を表しています。

あなたは恋人を心から愛しているから、それを言葉にします。

でもこのとき恋人は、頭のなかがごちゃごちゃで、あなたの声なんて聞こえていなかったのかもしれません。というよりも、自分に何があったかあなたに聞いてもらいたかったのかもしれませんし、自分が今どんな状態にいるかわかっていないあなたに対して何を言えばいいのかさっぱりわからなかったのかもしれません。余計孤独になってしまったのかもしれませんね。

どうしようどうしようとパニックになっているあいだに、言葉では「愛している」と言っているあなたの表情はいらだち、不安、怒りに満ちたものに刻一刻と変わっていきます。そして恋人はあきらめます。

あなたはもちろん、きっとウニヒピリの大切さやクリーニングの大切さに気づいて一生懸命「愛しています」を言っているのですが、繰り返しお話ししているとおり、ウニヒピリはあなたのなかに隠されていた、いろいろな記憶を再生しています。あなたがそれをただ消す！　消して楽になる！　と焦って何かを期待してツールを使うだけでは、やっと始まったクリーニングのプロセスも途中で終わってしまいます。

理想的なクリーニングの方法は、ウニヒピリが出してくれたものを一回何もかも受け止めて、それを一つずつあなたがクリーニングしていくというやり方です。ただロボットのようにではなく、たまねぎの皮の例のように、あなたが一回「愛しています」のツールを使って出てきた新しい出来事や感情にまた「愛しています」のツールを使ってクリーニングします。それを続けることで少しずつ、ディヴィニティ（神聖なる存在）に近づいていることを知っておいてほしいのです。

わたしは、毎日できるだけしょっちゅうウニヒピリに話しかけています。

「今、元気？」

答えがないので、「愛しています」と言ってクリーニングしました。すると、なんだか疲れを感じました。そこで、また「愛しています」と言ってクリーニングをします。

このようにして一回クリーニングしたら、できるだけその次に出てきたことを拾ってあげてください。ツールを使って何も変化が起きないということはありえません。何も感じないと思ったあなたの心の奥で、そのとき起きていることは何なのか、そのときウニヒピリがどんな記憶を再生しているか拾ってあげてください。

もしかしたら「わからない」という「焦り」かもしれませんね。そうしたら、今度はそれをクリーニングしてください。このやり方はほんとうにお勧めです。そんなふうにクリーニングを実践されたあるクライアントAさんの例をお話しさせてください。

彼女は長いあいだ「愛しています」だけを言って何も変化がありませんでした。ある日、一つ言ったら出てくるウニヒピリの声を受け取ってから次に進むという方法をシェアしたところ、Aさんはこのようにクリーニングしてみました。

できるだけ多くのタイミングでウニヒピリに話しかけるようにした。

「今、元気？」とウニヒピリに話しかけてみた。
↓
「……」という返事だったので、「愛しています」と話しかけた。
↓
すると疲れが出てきた。疲れているという記憶をウニヒピリが再生してくれたことに気づいた。
↓
「愛しています」と言って、その記憶をクリーニングした。
↓
昨日上司に怒られたことを思い出して「悲しい」という感情が出てきた。
↓
「悲しい」という記憶をウニヒピリが再生してくれたことに気づいた。
↓
「愛しています」と言って、その記憶をクリーニングした。

お母さんへのいろいろな感情が出てきた ← (愛《いと》しさ、怒り、恨み、反省などなど)。

お母さんへのいろいろな記憶をウニヒピリが再生してくれたことに気づいた。 ←

「愛しています」と言って、そのいろいろな記憶を一つひとつクリーニングした。 ←

お父さんへのいろいろな感情が出てきた ← (憧《あこが》れ、失望、劣等感、同情などなど)。

お父さんへのいろいろな記憶をウニヒピリが再生してくれたことに気づいた。 ←

「愛しています」と言って、そのいろいろな記憶を一つひとつクリーニングした。 ←

小さいころ、実家のあった田舎で大けがをしたことを思い出した。 ←

そのときの痛みや恐怖という記憶をウニヒピリが再生してくれたことに気づいた。

「愛しています」と言って、そのいろいろな記憶を一つひとつクリーニングした。

↓

「田舎に帰ろう！」と思いついた。

↓

ウニヒピリが「田舎に帰ろう」と自分が思いついたという記憶を再生してくれたことに気づいた。

↓

「愛しています」と言って何度も何度もそのことをクリーニングした。

↓

その結果彼女は、「田舎に帰る」というインスピレーションを得ました。それまで都会暮らしがとっても気に入っていたし、何も不便を感じていたわけではないのですが、田舎に戻りました。今は穏やかに暮らしながら、そこの風土に溶け込んだ芸術活動でとても成功しています。

これはウニヒピリのケア、そしてインスピレーションを得るまでのプロセスの一例です。

【ブルー・ソーラー・ウォーター】

これを飲みはじめることによって、クリーニングの理解がぐんと深まったり、知識ではないところでクリーニングを体験できる方がとても多くいらっしゃいます。ハワイの〝ワイ〟には、「水」という意味があります。この水は、「生命の水」と言ってもいいでしょう。飲むだけでウニヒピリのなかで再生される記憶を消去します。

リウマチ、筋肉の張り、痛み、憂うつな気分などの記憶のクリーニングに効果があります（この水のつくり方は一六二ページに記しておきます。とても簡単ですから、ぜひお試しください）。

【アイスブルー】

「アイスブルー」とは氷河の色のことを言います。この言葉を言いながら植物にふれると、痛みに関するクリーニングができます。心のなかで、

「アイスブルー……」

そう言っているだけでも効果があります。「アイスブルー」は、霊的、物理的、経済的、物質的な痛みの問題、痛ましい虐待に関する記憶をクリーニングしてくれます。物事を緩和する力があり、痛みに満ちた問題などの記憶をクリーニングして消去するのです。

【ゴールドドラム】

このゴールドドラムは、つくり込まれたもの、呪《のろ》いや虐待からの解放そのものです。ウニヒピリというインナーチャイルドと表面意識であるあなたとの交流、関係性を高める働きをします。この「ゴールドドラム」は、あなたに自由をもたらします。

- ●ゴールド色のドラムをイメージします。
- ●それを思ってください。
- ●そして具体的に描いてください。
- ●心のなかで「ゴールドドラム」と唱えます。

●それを回転させます。
●それにふれてみてください。

【ドラムスティック】

心のなかで「ドラムスティック」とただ言ったり、思ったり、イメージします。このツールは単独でも使うことができますが、ゴールドドラムと一緒に使うこともできます。心のなかでゴールドドラムや、あらゆる思考、行動、感情、考えに対して使います。

このドラムスティックは、クリアな音を生み出し、わたしたちをディヴィニティの奏でるリズム、目的にとどまらせてくれます。

わたしたちの進化にとても役立つ素晴らしいツールです。


【ブルーメッシュ（青い網）】

心のなかでブルーのネットを想像します。

これはスクリーン状のようなもの、または織布のようなものです。

このブルーメッシュは思考や記憶をつかまえて、ただちに変換してくれます。

これは、ほんとうに贈り物！

「ブルーメッシュ（青い網）」と、ただ言ったり、思ったり、またはイメージするだけでもかまいません。家、仕事に関係する場所、集合場所や何かのイベント、旅行などなど……どんなときにも心のなかで「ブルーメッシュ」。

※本書の制作にあたって、ヒューレン博士とKR女史はクリーニングを続けてきました。そこで得たインスピレーションによってもたらされた【ゴールドドラム】【ドラムスティック】【ブルーメッシュ】は、読者の皆様に贈られた新しいクリーニングツールです。ぜひ、ウニヒピリのケアのなかでクリーニングをする際に使ってみてください。

ヒューレン博士

何が起きていようと、つまり再生されている記憶がどれだけ痛々しく、苦しいものであっても、あなたはホ・オポノポノのクリーニングツールを使ってそれをウニヒピリに手放してもらうことができます。

その一つが、今ご紹介した「アイスブルー」です。繰り返しこの言葉を唱えることでウニヒピリが記憶を手放し、そしてそれをディヴィニティ（神聖なる存在）が消去することの許可を出す、いわばボタンのようなものです。

あなたはアイスブルーと言ってクリーニングのボタンを押すことができるのです。

先にご紹介した「ブルー・ソーラー・ウォーター」を飲むこと、「ゴールドドラム」「ドラムスティック」「ブルーメッシュ」をイメージすることにも同じ意味があります。

例えば「ブルー・ソーラー・ウォーター」。実際に利用している人は多くがからだのためとして飲んでいますが、じつは〝からだ〟のためではありません。結果としてからだにとってよい体験がたくさんありますが、実際はもっと柔軟で豊かなクリーニングの効果があるのです。

「ブルー・ソーラー・ウォーター」や「アイスブルー」、その他のツールを使えば使うだけ「四つの言葉」と同じように、あなたのウニヒピリに「愛しているよ」と繰り返し伝えることができるからです。

クリーニングをするうえで大切なことは、ウニヒピリと一緒にクリーニングすること、そして今お伝えしたようなツールを使っていくことです。そうすることでウニヒピリはより自由にそして柔軟になれます。

あなたがウニヒピリと交流をもち、ウニヒピリが保管していた記憶を手放し、それを神聖なる存在が消去しゼロにすると決めれば、いつの時点でもゼロ（無）になります。あなたはこのとき、神聖なる存在に何かを頼むのではなく、自分の役割を完了させればいいのです。

多くの皆さんがクリーニングしたとたん、すぐに結果をほしがります。

望みどおりになることもあるかもしれませんが、いつどのような結果が与えられるかは、ディヴィニティ（神聖なる存在）の手にゆだねられているということを忘れないでください。いつでもクリーニングをする際は、あなたという意志ではなく、ディヴィニティにゆだねているというあなたの姿勢が大切です。

何かの解決、特定の結果を得るためのクリーニングではなく、ウニヒピリによってただひたすら再生される記憶をホ・オポノポノのプロセスでクリーニングしつづけること――それが本来のクリーニングのあり方です。

お手伝いの頼み方

ヒューレン博士

あなたが何かの目的でクリーニングをしていたとして、やらないよりはやったほうがいいに決まっています。知らないうちにさまざまなことがクリーニングされていく可能性だってあります。

しかし、あなたがあなたのウニヒピリと一緒にやるということが大切なのです。ウニヒピリがあなたを拒絶したままでいると、ホ・オポノポノのプロセスが流れづらくなります。最後の光がさえぎられてしまうのです。

あなたがウニヒピリと一緒にアウマクアまで消去する記憶を届けないと、神聖なる存在にまで願いは届けられないからです。

KR女史

わたしの場合、ただウニヒピリに優しくしようとしました。

心に決め、そして一瞬一瞬ウニヒピリを思い出すようにしました。そうすることでウニヒピリは積極的にわたしのクリーニングに参加してくれるようになりました。

最近は何かクリーニングしようと思ったら、

「ねえ、ねえ、一緒にこれをクリーニングしましょう」

というような言葉を心のなかでかけるようにしています。あくまでもわたしはウニヒピリとともにクリーニングしているんだということを忘れないために。

あなたとウニヒピリは、まるで二つの自分同士が唯一無二の親友同士であるように関わるのです。

「これでいいかしら?」

「今ツールを使うのを忘れてたわ」

「このツールを使ってみたらどう?」

というように自分のなかで会話をします。すると不思議なことに、わたしが体験すること、感じることにもっともっと感謝の気持ちがわき起こってくるのです。

このように、常にウニヒピリとの会話を絶やさないようにしていると、今まで自分でこだわりをもって選んだり、つくりあげてきたものを、ある日なんの執着もなく手放せます。その代わり、インスピレーションで自然と何かを選んでいたり、毎日がとても新鮮なものになったりします。

ぜひ、皆さんに伝えておきたいのですが、クリーニングを続けていると、
「わぁ、びっくり！　わたしのなかにこんなものがあったなんてすごい！」
というような発見があります。四つの言葉を言ったり、その他のツールを使うことで、誰から与えられるでもない自分の内側から導かれる気づきを得るほど素晴らしいことはありません。それに感謝できるようになると、人生はどんどん広がっていきます。そしてなめらかになります。

ウニヒピリに間違った対応をしないでください。あなたにとってそのとき体験したことがどんなに最悪なことであっても、ウニヒピリだけには愛を注ぐ努力をしましょう。愛するというのは、無理やり笑って、ただポジティブなことを言うことではありません。

あなたのなかに怒り、憎しみ、恨みはありますか？

誰にでもあるに決まっています。何百万年、何千万年と生きてきたのですから。出てきたことを見ないふりしたり、押し込めたり、握りつぶそうとしたりする姿勢は忍耐とは言いません。あなたが信頼し、一緒にいて楽だと思えるどんな人よりも、あなたのウニヒピリは、あなたのどんな姿も、外面も内面もすべて見て、そしてただただ受け入れてきました。そんな相手に体裁をよくしようとあれこれ演じてもむだなのです。

ウニヒピリとの美しい関わり方は、出てきた感情や思いをいつくしみ、

「見せてくれてありがとう。今まで無視してごめんね。あなたのお話を聞かなかったこと、ゆるしてね。あなたがわたしとともにいてくれることで、わたしはこの思いや感情をクリーニングしたいと思っているの。協力してくれるかしら。そして何よりも心からあなたを愛しています」

このようにウニヒピリにお話しすることです。どんな残酷な感情がわき起こってきたとしても、本気でウニヒピリに感謝するべきです。その感情に流されるでも、無理やり押し込めるでもなく、ただウニヒピリに話してみてください。

「わぁ！　たった今、わたしのなかにこんな感情があるのね。このパワーは人を殺せ

るくらい怖いわね……。ＯＫ！　前にこんな記憶があったからなのね。見せてくれてありがとう。さあ一緒にクリーニングしましょう」

こんなふうにね！（笑）

4

愛しています、
ウニヒピリ。

人にも、会社にも、学校にも、
建物にも、プロジェクトにも、
すべてにアイデンティティがあります。

いろいろな〝声〟

ヒューレン博士

あなたは常にまず自分をクリーニングする必要があります。どんなに自分の外側で問題が起きているように思えても、あなたではなく他人が苦しんでいるとしても、たとえそれが遠く離れた国の災害であっても、あなたが見たり、聞いたりして、そのことによって何か感情がわくという体験をしているかぎり、それはあなたのなかの記憶の再生によるものなのです。

そのときは同時に、あなたのウニヒピリがそれらの記憶を今まで手放せず、今ようやくあなたとともに手放す準備ができているということです。

ホ・オポノポノの体験談でよくあることなのですが、クリーニングを続けていくと、植物や建物、赤ん坊や、文房具、会社、動物、飛行機などの乗り物など、自分以外のものの声が聞こえたり、コミュニケーションがとれたりするようになります。

そのような話を聞いて、

「植物や動物ならまだしも、鉄やコンクリートでできたものの声まで聞こえるなんて！　おかしいんじゃないか」

と思われる方もいらっしゃるかもしれませんが、これはほんとうです。ましてや形のないもの……例えば、時間やプロジェクト、名前などともコミュニケーションができます。なぜなら、それもこれも自分が自分のウニヒピリとコミュニケーションがとれているから起こることなのです。


あなたがあなたのウニヒピリと常に交流をもち、深い愛情で接していると、ウニヒピリはいろいろな情報をあなたと共有しようとします。


ウニヒピリがもっている情報とは、もちろん記憶です。

しかし、そのなかには何千年、何万年の時を超えて万物と共有してきたものも含まれています。川、山、海、鉄、宗教、人、鳥、教会、学校、椅子《いす》、靴、花など、何らかであったときの記憶を今もこうして記憶庫のなかに保管しているわけですから、今あなたが見たり、ふれたりと体験するものの情報や記憶を共有しているのです。

ですから、あなたがウニヒピリと会話することができると、あなたが今まで気がつかなかった、いろいろなことを教えてくれます。

あなたはそうやって教えてもらえるものを、ただクリーニングします。そうすると、さらにあなたとあなたが今体験しているほかのものとの記憶が消去され、そこにインスピレーションが与えられます。そこであなたは、そのもの本来の完璧《かんぺき》な存在を目にしたり、聞いたり、ふれたりすることができるということです。

ホ・オポノポノの講演会でわたしはいつも事前にウニヒピリと一緒に、まずは自分を、その次にその会場や担当者、椅子や照明器具、携わるスタッフなど、できるかぎりをクリーニングします。そうすることによって、その講演会中、私はシールドを張ることができるのです。

わたしがクリーニングしきれない部分を、それぞれのウニヒピリがクリーニングしてくれたり、事前にその椅子や会場や担当者が、それぞれのもつ記憶をクリーニングしてくれたりしますから、参加者がその影響を受けることはありません。声を聞かれずにただ乱暴に座られたり、さわられたりすると、彼らもあなたのウニヒピリ同様に傷つきます。

その結果、あなたのウニヒピリが傷ついているときに起こるのと同じことが起きてしまいます。ですから、わたしとわたしのウニヒピリは、いつも会場のクリーニングを一生懸命します。それが安全なのです。

さらに、そうすることによって、

「あそこに座っている人のことをクリーニングしたほうがいいよ」

「決められた時間どおりに出てくれないと、とても疲れてしまいます」

などと会場や椅子などが、わたしにいろいろなことを教えてくれます。

また、わたし自身が疲労を体験したときには、もちろん自分でもウニヒピリとともに瞬時にクリーニングするのですが、会場にある草花などの植物からもパワーをもらうことができます。

あなたが何らかの形で関わる以上、目の前にあるものはたんなる風景でも建物でも物質でもなく、あなた自身のことになります。

まずは自分をクリーニングして、関わる人や物をどんどんクリーニングしましょう。

そうすると、きっといろいろな声が聞こえてきますよ。

〝なぜ〟何も変わらないの？

KR女史

このことはまさしくウハネ（表面意識）とウニヒピリ（潜在意識）の関係によって起きることでしょうね。

あなたがクリーニングを始めて一連のホ・オポノポノのプロセスが始まり出したとき、神聖なる存在は、ほんとうにあなたのもとに変化を与える前、いったんその手を止めます。その時点であなたがすべてを任せることなく、ウニヒピリとともに働かないのなら何も変化は起きません。ふたたび同じ記憶につまずいてしまいます。

ヒューレン博士

わたしたちは、ほとんどの時間、今ほんとうに何が起きているのか気づかずに過ごしています。ウニヒピリのレベルでお話をすると、何千万もの記憶が再生されていますが、あなたはそれに気づきません。

あなたがクリーニングを始めるとウニヒピリは喜んでアウマクア（超意識）に働きかけ、神聖なる存在はあなたの記憶を消去してくれます。ところが、あなた自身はどの記憶が結果的に消去されたのかはわからないでしょう。

そのときは常に、ウニヒピリに任せてください。

困難に突き当たったとき、それをなくすためと期待をもってクリーニングするのではなく、ウニヒピリがそのようにして見せてくれた記憶を、わたしは喜んでクリーニングしていくだけです。あとはすべて任せます。

わたしにできるのは、ただクリーニングすることだけです。

わたしは今までずっとこの方法でクリーニングを続けてきましたし、そうできることに感謝しています。今もこれからも、この方法でクリーニングを続けていきます。それでも常に変化は起きつづけています。そして、わたしの人生は、わたしの意図しないところで変化しつづけます。

あなたがクリーニングをするとき、一体どの記憶が消去されているのかわからないのと同様に、あなたの人生の、一体どの部分にどんなタイミングで変化が現れてくるのかはわからないのです。

「クリーニングを続けていますが、何も変わりません」

このように質問されたら、わたしはこう答えます。

「あなたが知っていることよりも、もっとすごいことが起きていますよ。あなたがクリーニングしているかぎり変化は起きています」

つまり、今日のクリーニングの結果は三〇年後にあるかもしれないし、明日のクリーニングの結果は、あさってやってくるかもしれません。

あなたには知りえないことですし、知る必要のないことなのです。

こういったあなたの期待は、ウニヒピリを傷つけてしまいます。

取り引きがないと成立しない親子関係を望む子供はいません。

「あなたが掃除をしないかぎり、あなたを愛することはできない」

と親に言われて安心していられますか？

無償の愛のもと、はじめて本来の自分として働くことができるのと同じで、ウニヒピリも何も期待などしてほしくないのです。

KR女史

問題の解決策として「ホ・オポノポノ」と「人が考え出すほかの解決策」には大きな違いがあります。

一つの例をあげましょう。心臓に問題があるため心臓手術を受け、心臓マヒを防ぐという方法と、根本的にその状況を生み出した原因にさかのぼる方法とでは、まったく違います。もし心臓に問題が起きた際にそのことに対しクリーニングをしなければ、あなたが意識しようがしまいが、心臓は繰り返し大きなストレスを抱えつづけるでしょう。

実際にまた心臓マヒを経験しなくても、ストレスというトラウマを経験しつづけます。さらには、あなたの人生そのものに、いずれ大きなストレスを生み出す結果になるでしょう。

これはあなたが知りえないところで起きる変化の一つの例でもあります。この例をたんに身体的問題として解決しようとすると、ホ・オポノポノで言う大いなる変化は体験できません。

心臓マヒ、歯痛、骨折、さらには金銭的問題、恋愛問題、遺産相続争いでさえも、その問題を記憶の再生としてクリーニングしないかぎり根本的な解決とは言えないとわたしは思います。

手術、裁判など、何らかの解決策だけでその問題を解決するのではなく、その問題そのもの、さらにはそのことによって起きる手術や裁判に対してもクリーニングすることが、ホ・オポノポノで言う本来の問題解決なのです。

ウニヒピリは常に（よい、悪いに関係なく）あなたが記憶をクリーニングできるよう働きかけています。あなたが結果を期待していないときでさえ、いつでも準備はできているのです。

自分が変わればほかも変わる

KR女史

〝ホ・オポノポノ〟自体はあまりにもスケールが壮大なため、わたしがひとことで定義することはできません。

しかし、ホ・オポノポノのプロセスを日々の生活に取り入れ、クリーニングを始めると変化が起きるということは、今、わたしが理解していることの一つです。

つまり、クリーニングで過去の記憶を消去し、今が変わることによって、自分の未来を変えることができるのです。


ウニヒピリは、あなたに消去してもらえるよう、必死に過去の記憶を再生しつづけます。それをあなたが消去しないかぎり、この先に起きることはすべて過去の記憶の再生になります。つまり、新しい未来、将来なんてものは存在すらしないのです。

ウニヒピリはある意味でとてもまじめです。あなたが見ているDVDの停止ボタンを押さないかぎり、何度でも何度でもウニヒピリはまた最初から、そのDVDを再生してくれます。どんなにストーリーに飽きようが嫌いであろうが、あなたが停止ボタン、つまりクリーニングを通してそのDVDを消去しないかぎり、次のDVDは始まりません。

停止ボタンを押すということは、まずあなたの意志でクリーニングを始め、クリーニングを続けていくうちにウニヒピリがそれを受け取り、その記憶そのものに変換を起こすということです。最後には記憶の再生が停止され、消去されていきます。

この一連のプロセスの先に、はじめて未来という新しい道があるのです。

このことを知っていたら、今すぐクリーニングせずにはいられませんよね。

記憶が一つ消去されていくごとに、身体的に、精神的に、そしてスピリチュアル的にも変換が訪れます。

ヒューレン博士

今のKRのお話はとても重要なポイントです。

ウニヒピリの働きをあなたが認め、クリーニングを始めると、次のような変化があなたのなかで起きます。

1. 記憶のクリーニングを始める。

2. 記憶の再生が停止され、消去されることで、あなたは過去に縛られなくなる。

3. インスピレーションがあなたのなかにできた新しいスペースを満たし、あなたの魂における歴史を変換させる。

4. あなたの歴史が変換されると、あなただけでなく、すべての人々の歴史にも変換が起きる。

ホ・オポノポノの素晴らしさの一つは、
「自分が変われば、ほかのすべても変わる」
というところです。あなたが記憶（歴史）を再生ではなく変換させることで、あなたを含め、ほかのすべてにも新しい「未来」が与えられます。

あなたと一緒にクリーニングして、消去してゼロになることのため以外には、あなたがどんなに期待したり、強要したりしても、ウニヒピリは前には進みません。何度も何度もあなたの記憶を再生していきます。

クリーニングの鍵《かぎ》となるのは、あなたがウニヒピリとともに自分の歴史に変換を与えることです。

なぜならば「歴史」とは、自分と他を縛りつけている過去のことだからです。自分と他のつながりを消去するのは、あなたが想像しているような悲しいことではありません。それぞれがクリーニングされてゼロ（無）の状態でいれば、いつでもそこには記憶による執着とは無縁のインスピレーションによる、素晴らしい関係が存在するからです。

自分と他との歴史をクリーニングすれば、あとは神聖なる存在がすべきことをしてくれます。記憶を消去し、歴史を調整し、あなたと他がそれぞれ完璧な存在として未来へ進めるよう、すべての仕事をしてくれるのです。

あなたのウニヒピリが、あなた以外のクリーニングに協力しないのと同じで、ほかの何者もあなたの問題を解決し、人生を変えることはできません。

あなたがウニヒピリの存在を無視し、何かほかの者に助けてもらったり、変わらせてもらおうとすると、どこかで必ず行き詰まってしまいます。

事前のクリーニング

KR女史

わたしがふだん、どんなふうにウニヒピリと一緒にクリーニングしているかお話しさせてください。

わたしの仕事の一つにホ・オポノポノを使った個人や企業向けのコンサルティングがあります。予約が入った時点で、まずわたしはその人に関してわかる情報、お名前や、住所、生年月日やその他わかるかぎりウニヒピリと一緒に調べます。

「わたしたちはこれから、この人と話をしていくなかで、わたしたちとクライアント、そのクライアントの家族、クライアントのご先祖とのあいだにどんな緊張や痛み、苦痛が生まれても、それを手放すチャンスがあるよね」

とウニヒピリと話し合います。

また、セッションの間中、クリーニングする機会が与えられていることをウニヒピリと確認し合い、それにウニヒピリがずっと参加してくれるようにお願いします。

そして次に、使うツールを確認し合います。

「基本はまずはシンプルな四つの言葉よね。〝愛しています〟だけでもいいわ。あとはアイスブルーを使う？　それとも……」

というふうに誠実にウニヒピリと事前に相談をします。そして実際のセッション中に、わたしが話しているとき、聞いているとき、瞑想《めいそう》しているとき、どんなときでもウニヒピリがクリーニングをしてくれているようお願いします。

そうするとクライアントに心から「愛しています」と言えないときでも、ウニヒピリがわたしのなかのその記憶をまるですごいスピードで吹く風のようにビューンとクリーニングしてくれます。

このおかげでわたしはぶれることはないですし、飲み込まれることもありません。ウニヒピリのクリーニングによってわたしがゼロでいることで、クライアントのウニヒピリの声もよりはっきりと聞こえてきます。

このようにウニヒピリはわたしの仕事に対してもとても協力的に働いてくれます。なぜなら、ウニヒピリとわたしはこのことを共同作業としてやっているからです。わたしがウニヒピリと優しく手をつないでいるかぎり、ウニヒピリは常にアウマクア

（超意識）とつながっていてくれます。するとわたしは始めから終わりまで、記憶からではなくインスピレーションを通してそのクライアントと関わることができます。

そうなると、クライアントはクライアントの完璧な自分と出会ってクリアになり、プロジェクトはプロジェクトで完璧な状態として現れてくれるのです。

すべてのものはすでに完璧です。わたしさえクリーニングしてゼロの状態でいれば、すべてが本来の完璧な状態として現れてきます。

そしてもう一つ、今お話ししたなかで覚えていてほしいことは、

「前もってウニヒピリに相談する」

ということです。わたしがもしも勝手に決め、勝手に準備し、勝手にその日を迎えたうえに、いざクリーニングが必要になったときウニヒピリに協力をお願いしても、ウニヒピリを傷つけるだけです。自分自身が幼くまだ何も決定権がないとき、まわりの大人が有無を言わさず自分をどこかに連れていったり、それまで知らされていなかったプランを急に命令されたりしたら自分だっていやになります。それと同じです。

反対に常日ごろ、前もってウニヒピリに相談をするくせをつけたり、一緒に取り組んだりしていくことで、ウニヒピリは自信をもってどんどん本領を発揮しはじめます。

わたし自身もどんどんウニヒピリに自然と任せられるようになっていきます。

救われたい、よくなりたいという気持ちから無理やり相手に期待をもつのではなく、小さいころからずっと支え合ってきた揺るぎないパートナーシップをもった者同士のように、わたしはわたしのこだわりや感情を手放し、ウニヒピリに任せはじめます。そうするといろいろなことに対応できるようになってきます。

わたしがクリーニングするところさえすれば、あとはウニヒピリが引き受けてくれるようになり、いろいろなことができるのです。ほとんどの場合、わたしには起きた出来事に対してどうすべきかわかりません。でも、心臓の鼓動のようにわたしのなかのウニヒピリはどう動くべきかを知っています。わたしがわからないことに出会うと、ウニヒピリがとてもすばやくそのことに気づき、学び、動いてくれるのです。

このことは、あらゆる仕事や人間関係にとても有益です。

あなたがウニヒピリにとって素晴らしいパートナーであるかぎり、クライアントや友人、家族がほんとうは何が言いたいのか、彼らの必要としていることを知っているのがウニヒピリだからです。人にも、会社にも、学校にも、建物にも、プロジェクトにも、すべてにアイデンティティがあります。

あなたが今、仕事で営業に出ているとします。クライアントの首を縦に振らせるためにその日までたくさんの資料を用意し、準備をし、あなたの提供するものを一生懸命相手にプレゼンするために来ました。企画書づくりやプレゼンのためにたくさんの講習会を受け、膨大な本を読んできました。でもこれでは、はっきり言って不十分なのです。肝心なことがごそっと抜け落ちています。

あなたはクリーニングのために営業に来ているのです。あなたは、クリーニングするために、その会社で働いているのです。あなたは今あなたのウニヒピリが何千万年と抱えてきた記憶をクリーニングするために、そのクライアントと会っているのです。

根本的なことにあなたが取り組まないかぎり、表面的によくても悪くても、あなたは仕事を変えてもクライアントを変えても、変わらず同じ記憶をぶら下げたまま、あくせくあくせく動き回るだけです。

クライアントをクリーニングするだけでも不十分なのです。ウニヒピリはあなたが体験するあらゆることを通して記憶を見せてくれています。あなたの会社、クライアントと商談する場所、クライアントの会社、あなたが企画したプロジェクト案、その一つひとつであなたは何かしらの体験をしています。そのことを前もってウニヒピリとともにクリーニングしてください。

そうするとすべてのものがそれぞれのアイデンティティをもって現れはじめます。素晴らしいことにあなたが前もってそのように準備さえしていれば、あなたがわかっていなくてもウニヒピリがそれぞれのアイデンティティとどう接したらいいか、相手が何を言いたいのか、ちゃんと聞いてくれています。そしてそれをあなたに完璧なタイミングで伝えてくれるのです。

そんな素敵な上司、部下、同僚にかつて出会ったことがありますか？

とにかくわたしは毎朝一時間だけでも事前にウニヒピリとクリーニングに集中する時間をもつことをお勧めします。もしあなたが一瞬一瞬クリーニングすることができないことに不安をもっていたら、どうかそれもクリーニングしてください。あなたが今日一回クリーニングするのとしないのとでは、すべてが大きく変わってきます。とっても気持ちがいいですよ。毎朝目覚めて数分後には自分のウニヒピリの存在を感じることができるのは。

今日一日の予定、出会うと予測される人や乗り物すべて、予定されている用事、自宅の住所、向かう先の住所などなど、神経質になる必要はありませんが、生まれてはじめて自分で計画をした旅行に行く前のような気持ちで、より明確にクリーニングしてみてください。

多くのクライアントがこれを実行して驚きます。ストレスが減り、困難にぶつかることがなくなります。そして忙しい合間にも常にウニヒピリはクリーニングを続けてくれているから安心ですよね！

あなたはどっち？

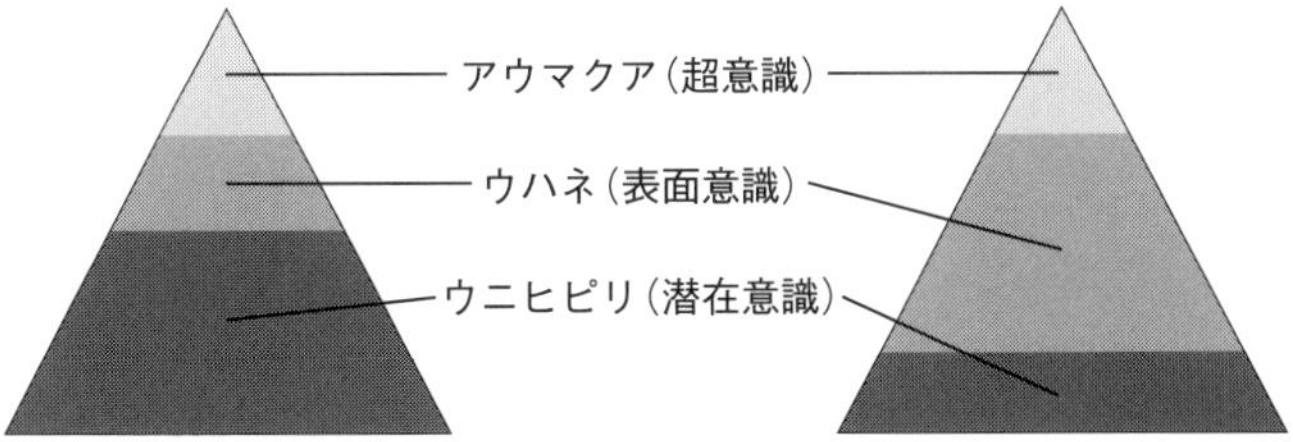

感情に支配されている状態

ウニヒピリが抱えている記憶が、
ノンストップで感情として現れている状態。
あなたはそれとは気づかず、
いつも起きる出来事や問題などに
振り回され、ただ感情的に反応してしまいがち。

思考に支配されている状態

常に意識的に何かをどうにかしようと
頭でっかちになっている状態。
マニュアルに従って今あることを否定、
または肯定しないと安心ができない。
自分に対して自由になれないため、
インスピレーションとつながるどころか、
そもそも信じることができない。

両方ともウニヒピリとあなたが
つながりをもっていない状態なので、
ディヴィニティとはつながっていない状態。

5

ゼロ・コード

「ゼロになる」とは、
ウニヒピリすなわちあなたが記憶から
自由になっている状態のことです。

大切なのはわかろうとしないこと

KR女史

わたしはクライアントと会うとき、それをかけがえのない時間として一瞬一瞬、大切にクリーニングします。このようなクリーニングの機会を与えてくれた自分のウニヒピリ、そしてクライアントに対して心から感謝しています。

セッションが終わったあとも、わたしはクライアントをクリーニングしつづけます。なぜなら、わたしはクライアントとの関係、つまりその人と自分が共有する記憶をセッション後に一切残したくないからです。

これはいわゆる「アカコードを切る」という作業です。相手に対し、わたしが抱くあらゆる感情や体験、つまり記憶を全部クリーニングします。わたし自身や相手にはわかりえないあらゆる記憶を残したままにすることをわたしもウニヒピリも、相手のウニヒピリも望んでいません。アカコードを残したままにすると、さらなる記憶の再生を呼ぶだけです。

わたしたちは本来ほんとうの問題が何であるかさえ知りません。

クライアントが足を骨折していたとします。わたしはそのことに関して「あなたは足を骨折しています」とは言えます。しかし、その元々の問題つまり記憶の原因となるところは私にはわからないのです。

わたしにわかるのは一番に骨折していること。二番目にはその人がここにいるということ。それだけです。わたしはわかるということを手放して、自分のなかをクリーニングします。わたしの仕事としてはそれだけで十分です。それ以外のことをするとウニヒピリの思いとちぐはぐになります。それは大きな問題です。

ヒューレン博士

「わかろうとしない」ことは、すべてに通用するツールです。なぜこの人がわたしのもとに現れたのか、なぜわたしはこの仕事をしているのか、なぜ病気なのか、なぜやせないのかなどを知ろうとしないように気をつけることは、クリーニングをするうえで大切なことです。なぜなら記憶の底から導き出された考えは、あなたをトラブルに巻き込むだけだからです。

そのように頭をめぐらす代わりに、ウニヒピリには常にこのような態度でいたいものです。

「ＯＫ！　何が起きているのかわたしにはわからない。手がかりもない。ただ一緒にクリーニングしよう。なぜならクリーニングをして神聖なる存在にこの記憶を届けさえすればちゃんと整えてくれるからね」

例えばあなたは今経済的な悩みを抱えているとします。なぜ悩んでいるのかあなたはその理由を自分でわかっていると思いますよね。銀行預金の残高がほとんどないから、今月の請求書の支払いに追いつかないから、収入が足りないから、予想外の解雇宣告を受けたからだとか、この年になってもまだ結婚相手が見つからず女性としていつまで働けるかわからない、などなど……。

たしかに表面的な理由はそうかもしれませんし、表面意識であるあなたにとってそれはほんとうに不安で仕方がないことでしょう。しかし、その不安の根本的な原因は記憶の再生によるものです。あなたは今あることを原因と決めつけてしまうと、せっかくウニヒピリが大きな変換のチャンスを与えてくれるのをむだにしてしまいます。

ほんとうの原因はウニヒピリにしかわからないのです。

真の原因は過去に起きた何かです。もしかしたらかつて巻き込まれた戦争かもしれません。まったく別のことかもしれないけれど、今あなたが体験していることはすべて記憶の再生であり、あなたの仕事はウニヒピリとともにそれをクリーニングすることです。


あなたがあなたの仕事をきちっとして、あとはウニヒピリ、アウマクア、神聖なる存在にゆだねる姿勢を見せることで、ウニヒピリは安心して自分の仕事に取り組めます。あなたがもし、「問題は何なのか自分でちゃんとわかってる」という考え方をいつもしていたらウニヒピリのなかで何が起きるかわかりますか。

ウニヒピリはきっとこう言っているでしょう。

「でも、でもね……でも！」

しかし、あなたは最後まで話を聞かず、ピシャッとドアを閉めてしまいます。ウニヒピリはあなたとコミュニケーションが断たれた状態です。抑圧され、苦しい記憶であふれた真っ暗な部屋にとじこめられたようなものです。

ウニヒピリがかわいそうですか？　たしかにかわいそうです。あなたが気の毒でなりません。ウニヒピリとの関係が断たれた状態では、アウマクアとつながることはできません。これは大変危険なあり方です。

例えば、あなたがそのようにウニヒピリとの絆《きずな》が断たれた状態でクリーニングをせず道で物を拾ったら、余計な因縁（カルマ）を拾ってしまうでしょう。

神聖なる法則に逆らい、自然の流れをさえぎっている状態なのに、あなたはそれに気づきません。

第二にあなたがクリーニングをしないことで余計なカルマを背負い込んでしまったせいで、ほかの人のカルマをあなたが奪ってしまうことになるのです。わたしは今あえて「記憶」を「カルマ」に言い換えて話しました。つまり、ほかの人がクリーニングするチャンスをあなたは奪ってしまうのです。

この結果は、すべてあなた自身に戻ってきます。そしてあなたがそれをクリーニングしないかぎり、自分の子供、その子孫まで、記憶は代々受け継がれていきます。

あなた（表面意識）は物事を知るようにはつくられていません。知ることができるのは、神聖なる存在だけです。あなたが自ら知っている、理解しているとしてすべてをストップさせると問題が起きます。表面意識であるあなたはあなたの仕事であるウニヒピリのケア、そしてクリーニングをすることに誠実になれば問題はなくなります。

みんな、それぞれ自分の仕事があるのです。愛のある状態とはみんなが常に自分自身を愛している状態だと思います。たとえ家族でも同じことが言えます。自分のことを自分でさせてあげるのは相手の尊厳を守ることです。

あなたはいつ何をするにも自由です。自由意志を与えられたあなたは、自ら選んでクリーニングをしますか？　しませんか？　それが問題です。ウニヒピリの存在に気づいた今、インスピレーションに従って生きることも可能です。

あなたが思い込みや執着をクリーニングし、手放せば新たなスペースが生まれます。そこにインスピレーションが差し込むのです。そうすればあなたはいつだって何をするべきか、それを知ることができます。

ゼロになるということ

ヒューレン博士

「無」「空」「ゼロ」――長い歴史のなかで多くの賢者がこれらの言葉を用いながら、その本質を表現してきました。ホ・オポノポノの概念の中核にあるのは「ゼロ」です。

インスピレーションはあなたがゼロのときにだけ与えられます。インスピレーション以外で与えられる情報は、すべて過去の記憶です。わたしたち（宇宙）を動かすのは、二つのエネルギーだけ、「インスピレーション」か「記憶」、そのどちらかです。

神聖なる存在がわたしたちを創《つく》り出すときに、無限の無、ゼロ、空として創造したのだとしたら、それがもともとのほんとうのわたしたちの姿なのだとしたら、ゼロであることが一体どんなことなのか、思いを馳《は》せることはとても意味のあることです。

そこでわたしたちは「わたしとは誰なのか」と自らに問わなくてはいけません。

モーナはこのように表現しています。

「わたしは無よりいでて、光にいたる」

神聖なる存在のもとでのみわたしがわたし、つまり光の状態でいられるのならば、わたしたちはすべての存在の出発点であった無限なるゼロ、無限なる空に立ち戻ることが大切なのです。

そのために、わたしたちはクリーニングします。

そのためにウニヒピリの記憶を一つひとつ消去していくのです。

KR女史

ゼロあるいは無の状態とは、あなたとウニヒピリ……表面意識と潜在意識がお互いに仲良く調和のとれた状態です。この二つが一つとなってアウマクア（超意識）と心を通わせているときです。ホ・オポノポノのプロセスを経て、これまでウニヒピリが溜《た》め込んできたあらゆる記憶が再生されない状態を体験しているとき、あなたはゼロです。

ヒューレン博士

「ゼロになる」とは、ウニヒピリすなわちあなたが記憶から自由になっている状態のことです。再生される記憶がなく、シェークスピアの言う「過ぎ去った悲しみ、昔の嘆きを今改めて嘆き直し」ていない状態と言えるでしょう。

ゼロであれば、ウニヒピリは悲しみやどんな感情、記憶も再生しませんし、あなたはあなたでいろいろ頭で考えあぐねたり、何かをどうにかうまくやろうとまわりや自分をコントロールすることもありません。

あなた（表面意識）、ウニヒピリ（潜在意識）、アウマクア（超意識）がゼロであるそのときに、光である神聖なる存在が訪れます。ここであなたはインスピレーションに導かれながら人生を生きていくことが可能になります。


ホ・オポノポノは、非常に深い叡智《えいち》に満ちたものであるのと同時に、とてもシンプルなものです。しかし、いつでも楽々できることではありません。というのも、誰にとっても絶え間なく、ずっと続けるというのは難しいからです。だからといってわたしはクリーニングをやめようとは思いません。なぜならわたしはウニヒピリを愛していますし、わたしもウニヒピリも自由になりたいからです。

平和は自分から始まる

ヒューレン博士

多くの人が誰かを心配して、「自分がその人を助けてあげるのだ」と思い込んでいます。しかし、あなたがウニヒピリと絶えず交流をして、クリーニングすることによって自分を救うことができていなければ、他人を救うことなどできません。

はっきり言ってしまえば、あなたのなかにある記憶が消去されれば、ほかのみんなもうまくいくようになるものなのです。

もし、あなたのまわりで何か問題が起きたり、気づきがあるならば、その何かは自分のなかにある記憶をクリーニングできるチャンスです。

そこであなたは、悩んでいる人が現れたら、その人を分析する前にクリーニングを一緒にしてくれるよう、あなたのウニヒピリにお願いしてください。

そうすることで、ウニヒピリは、その問題となる記憶に焦点を当ててクリーニングを始め、神聖なる存在は喜んで記憶そのものを消去してくれます。

あなたのなかの記憶も、ほかの人の記憶も消去されるのです。

モーナは**「平和は自分から始まる（Peace begins with me）」**と書かれている盾を、常に自分の机の上に置いていました。問題は相手ではなく、自分のなかにあるのだということを常に忘れないためでした。

自分のなかをクリーニングするだけで、相手も自由になり、起こるべきことが自然と起こります（クリーニングするときに期待を手放すように言うのはこのことです。クリーニングをしていれば自分の期待していた結果でなくても、必ずどこかで完璧《かんぺき》に結果は現れるものです）。

その逆で、多くのセラピストは「問題は相談者自身にある」と思い込んでいますが、そのように思ったり、言ったりするたびにセラピストのウニヒピリはどんどん犠牲になっていきます。

KR女史

まずは、自分自身を見つめなくてはいけません。

あなたのもとに誰かがやってきて、どんな悩みや問題をもち込んだとしても、その問題の責任はその誰かではなく話を聞いているあなたのものです。

何よりも最初に、まずあなた自身をクリーニングし、その次に相手のクリーニングをしてください。

そうすることでウニヒピリは無視されたと感じることなく、混乱なくクリーニングを始められます。

あなたが、まずはあなた自身、それから相手、さらにあなたと相手の関係のなかで起きた体験までクリーニングすると、たいていは相手にプラスの結果として現れます。誰かの相談を聞いたりマッサージをしたりするときに今の順番を守れば、素晴らしい時間になりますし、素晴らしいマッサージとなります。

マッサージする人として、「この人をよくしてあげたい」「治してあげたい」「治せなければプロじゃない」など、いろいろな感情や声が聞こえますが、それをもクリーニングします。

誰かがあなたに相談しにきたとき、あれこれ考えずあなた自身の問題を見るためだと受け取り、責任を取り、ただウニヒピリとその問題の記憶となるところをクリーニングすれば、ちゃんとわかってきます。

誰かの問題に行き当たるということは、あなた自身の問題をクリーニングするチャンスです。

ヒューレン博士

もう一つの大切なポイントは、わたしたちが癒《いや》すわけではないということです。あなたが誰かを癒すことはできません。

ヒーリング（癒し）とは、記憶を消去することではじめて手に入れられます。であるならば、ヒーリングを与えられるのは神聖なる存在だけです。

例えば誰かがあなたに、その人自身または家族の問題を相談してきたとします。その相談に対してあなたがウニヒピリに話しかけず、クリーニングもせず、神聖なる存在に記憶を消去してもらわなければ、根本的な問題は永遠に解決しないでしょう。

表面的には勝手に解決したように見えたとしても、時や形を変え、繰り返し同じ問題としてあなたや相手の前に現れます。

わたしたちは最終的にすべてを神聖なる存在に預けなければいけません。なぜなら神聖なる存在しか問題を消去する能力をもっていないからです。

自分がヒーラーだと言う人がいますが、わたしは自分がヒーラーだとは言いません し、誰かを癒すこともしません。わたしはトラブルメーカーです。あらゆる記憶を抱えている問題児です。

だからこそ、わたしはクリーニングをします。クリーニングは自分を含めほかのすべての人が完全、完璧な状態であるために必要なことです。そしてクリーニングをすることで、たくさんの美しいものと出会えるのです。

KR女史

まだモーナが生きていたとき、欠陥住宅に関する訴訟を起こしているクライアントがいらっしゃいました。モーナとともに、わたしはホ・オポノポノのプロセスを通してそのことに関してみんなでクリーニングしていました。

ある日の裁判中に突然、クライアントの弁護士が叫びはじめたのです。彼らは裁判相手側の机に飛び乗り、その人を怒鳴りつけました。その結果はどうなったと思いますか？　はじめから何もなかったかのように勝訴しました。

もちろん、その弁護士は反省し、「なぜあんなことをしたかわからない。侮辱罪で

逮捕されていたはずなのに。何だろう、何がなんだかわからない」と言っていましたが。（笑）

この体験でわたしが伝えたいのは、「何かの反応を期待してクリーニングをやっているのではない」ということです。クリーニングを十分やった結果であれば、何かに大きく反応した結果として思いもよらないことが表現されたとしても、それはそれでいいのです。

この話を聞いて違和感をもたれるかもしれませんが、これはその瞬間ごとにクリーニングをすることによって、その場やそのときに完璧な行動がとれ、完璧な事態が起きるということを表す一つの例です。

わざわざ何かを仕組まなくても、何が起こったのかわからないうちに、何かが起きているのです。

もしもあらゆることにクリーニングができたら、問題は一つ残らずなくなるだろうというのは大変傲慢《ごうまん》な考え方だと思います。もし自分の思いどおりに結果を求めるなら、それは新たな記憶をつくり出すことと同じになってしまいます。

ある男性が、モーナにビジネスの提案をしてきました。

わたしはとてもよい条件だと思いましたが、彼女はすぐにクリーニングをし、結果的には「その話は断ります」と言いました。わたしは彼のビジネスパートナーになりたくないし、彼にとってもそれがベストだと言うのです。

ところが仕事を断ったにもかかわらず、彼女はその男性に対して一日三回、なんと二五年間もクリーニングを続けたそうです。モーナは、こう話してくれました。

「もし、彼と道ですれ違ったときに、お互い気づかなくなるまで、そこまでクリーニングをやりつづけるのよ」

これはクリーニングのプロセスにおいて、とてもよい例です。

今世でわたしたちは、幸せになるためだけにクリーニングをするのではありません。よくも悪くも出会ったり、目の前に現れた人とは何らかのカルマ（記憶）をクリーニングしてゼロに戻すためにクリーニングをしつづけるのです。同時に一つのクリーニングを終えるまで、とても長い時間がかかることもあるのだということも学びました。

ホ・オポノポノのプロセスのなかで、わたしは結果にこだわりたくはありません。心配を手放し、クリーニングに集中したいのです。

結果第一主義の人には夢物語に聞こえるかもしれませんね。

言い方を変えましょう。クリーニングには終わりはありません。クリーニングした結果、期待が残ったとします。そしたらそれもクリーニングします。期待していた結果がその途中で得られるかもしれません。そのときあなたはどう感じますか。「キャー!」と飛び上がるくらい嬉《うれ》しいですよね。そしたらその「キャー!」という嬉しい感情そのものをクリーニングします。そうしてウニヒピリが見せてくれるかぎり、どんどんクリーニングしていきます。それがわたしにとって、安全かつ平和でいられる秘訣《ひけつ》です。

クリーニングに失敗はありません。やりつづければ必ず何らかの答えはあります。

手放すということ

KR女史

モーナはよくわたしにこう言いました。

「流れに沿っているか、いないか、あなたには二つに一つしかない」

流れとは正にホ・オポノポノです。あなたがシンプルに生きようとすれば人生はシンプルになります。つまり、あなたがウニヒピリとともに生きること（クリーニングすること）を選択すれば、常に物事はクリアになります。

「流れに沿う」ことに対してモーナは自転車を例にとって教えてくれました。

わたしたちが流れに沿っているときは、自転車をこいでいるときと同じで、スイスイと前に進めます。こがなければその場であなたは自転車と一緒に倒れます。でもあなたはまた自転車をこぐこともできます。

要するに、あなたが選択するかぎり、常にホ・オポノポノという自転車を手に入れることができます。

次に、自転車をこぐことを選択し、上手に乗っているあなたはある時点でそれを手放さなくてはいけません。あなたには、自分がやれることをすべてやったと言えるだけの徹底したクリーニングをしたあとで、手放すときが訪れます。

スピードを出してこいでいたら、そのぶんだけ手放すのは怖いですよね。でもあなたは決して一人きりで自転車をこいでいたのではありません。いつだって、ウニヒピリと一緒にこいでいました。ウニヒピリも自転車に乗っていたあいだに集められるだけの記憶をあなたのために集めていました。いざ手放すのに完璧なタイミングをウニヒピリは教えてくれます。

さて、その「手放す」ということですが具体的に言うと、あなたがあなたの執着や感情、期待や思い込みにしがみつくのをやめて、神聖なる存在のなすがままに任せることを指します。あなたの思うとおりの結果を期待しているあいだは手放したことになりません。そんな状態を、モーナはこう表現していました。

「あなたは種をまく代わりに種を掘り返している」

いったん種をまいたのなら、土をかぶせ、あとは自然に任せて忘れてください。

ウニヒピリはそれだけ丈夫な種をあなたのために見つけました。

まかれた種はやがて芽を出し、成長し、神聖なる存在である宇宙が豊かに実らせてくれます。

ホ・オポノポノ用語解説

【ホ・オポノポノ】

もともとは四〇〇年ほど前から、ネイティブ・ハワイアンの伝統的な問題解決方法として伝えられてきた「ホ・オポノポノ」。ホ・オとは「目標」、ポノポノは「完璧《かんぺき》」。すなわち、完璧を目標として「修正すること」「誤りを正すこと」を意味します。

これを、ハワイ伝統医療のスペシャリストでありハワイの人間州宝（一九八三年）の故モーナ・ナラマク・シメオナ女史が、独自のインスピレーションを得て、現代社会で活用できるようアレンジしたのが「セルフ・アイデンティティ・スルー・ホ・オポノポノ（Self Identity Through Ho'oponopono、略してSITH）」です。古代ホ・オポノポノとは違って、自分自身のなかで実践、活用できます。

多様な文化的・社会的背景からなる南北アメリカやヨーロッパ、アフリカ、アラブで実践されつつ、さまざまな国際会議、高等教育の場へも紹介され、国連やユネスコ、WHO（世界保健機関）、ハワイ大学などでも実践・紹介されてきました。

【「三つの自己」と「ディヴィニティ（神聖なる存在）」】

ホ・オポノポノでは、このわたしたちを形成しているのは三つの自己（セルフ）と考えています。「ディヴィニティ（神聖なる存在）」とともに、それぞれの役割について簡単にご紹介します。

Unihipili
《ウニヒピリ（潜在意識）》

それは子供のような存在として現れ、魂のメモリーバンク、記憶庫を管理しています。あらゆる感情の源泉と言えます。

ホ・オポノポノでは、世の中に起こる問題は「ウニヒピリのなかの情報（過去の記憶）の再生である」と考えます。過去の記憶には、わたし自身のみの記憶だけでなく、宇宙の誕生から現在までのすべての生命、すべての鉱物などの記憶が含まれています。このウニヒピリの情報を修正もしくは消去することによって、問題を解決できると考えます。しかも、他人に起こる問題も、「他人の問題」を聞いたり見たりと何かしら体験しているわたしのウニヒピリがもっている記憶を消去することによって解決できるのです。また、表面意識と潜在意識が統合された状態が「魂」と言われるものととらえています。ウニヒピリの存在がないとアウマクア（超意識）にはつながれません。

Uhane

《ウハネ（表面意識）》

本来「ウニヒピリ」に対して母親のような役割をしています。女性の直感的な部分を司《つかさど》り（女性、男性どちらももっています）、ふだんのわたしたちは、ほとんどがこの表面意識、ウハネ側にいると言えます。たとえば「怒りを感じている」と感じるのもこの表面意識の部分です。本書では「あなた」と指しているのは、つまり表面意識の部分のあなたです。

Aumakua

《アウマクア（超意識）》

わたしたちの霊的な部分のことです。表面意識と潜在意識に愛を注ぎ、ホ・オポノポノのプロセスをより純化し、磨きをかける役割をします。表面意識と潜在意識がつながっているときにだけ、つながることができます。ウニヒピリとあなたによるクリーニングによって届けられたものをディヴィニティに届けることができます。

Divinity
《ディヴィニティ（神聖なる存在）》

宇宙、大いなる自然、命の源を意味します。ウニヒピリのなかの記憶をクリーニングすることによって、この存在とつながり、神聖なる存在からアウマクア→ウハネ→ウニヒピリまで、まるで光が通るようにしてインスピレーションが降りてくるようになります。

【クリーニング】

問題を解決するための方法、「セルフ・アイデンティティ・スルー・ホ・オポノポノ」を用いて、人間の病気や苦悩を生み出すもの、よいものも悪いものも全部ひっくるめた潜在意識のなかのあらゆる記憶を消去することを言います。

【ゼロ（無）の状態】

記憶がゼロになった状態。インスピレーションを受け取ることのできるスペースのある状態のことを言います。

【ブルー・ソーラー・ウォーターのつくり方】

ブルー・ソーラー・ウォーターを飲んだり、お料理に使ったり、お風呂のお湯に加えたり、洗濯や掃除、植物の水やりなど、自分のインスピレーションに従って使うことで記憶をクリーニングすることができます。

ワインボトルのような青いガラス瓶を用意します。

青いガラス瓶のなかに水道水を注ぎます（ミネラルウォーターでもかまいません）。

水を満たしたガラス瓶にフタをします。ここでのポイントは金属製のフタを使用しないこと。プラスチックやガラス、コルク素材などのフタを使用してください。

水を入れた青いガラス瓶を太陽の光が当たる場所に置いて、十五分から一時間以上放置します。曇っていたり、雨が降っていたりする日も日光は出ていますので同じようにつくれます。夜などは、白熱灯の下に置いても同じようにつくることができます。

（完成したブルー・ソーラー・ウォーターは、別の容器に入れ替えたり、温めたり、何かを混ぜてもかまいません）

【イハレアカラ・ヒューレン博士】

「ホ・オポノポノ」を現代社会で適用できるようにアレンジを加えた「セルフ・アイデンティティ・スルー・ホ・オポノポノ」（SITH）の継承者であり、世界に広めた第一人者です。一九六二年にコロラド大学を卒業し、ユタ大学を経て、七三年にアイオワ大学で教育長・特殊教育ディレクターの博士号を取得しました。その後、医科大学学長、教育学部助教授に就任し、七四年にハワイ大学助教授、七六年に知的障害者ハワイ協会事務局長をつとめ、犯罪者の更生や身体障害者の支援プログラムに取り組んできました。八三年から八七年までは、精神異常犯罪者ハワイ州立病院精神科医スタッフとして活動し、患者に会うことなく全員を癒《いや》したというエピソードはよく知られています。現在は、国際連合やユネスコをはじめ、世界平和議会などさまざまな場所で「セルフ・アイデンティティ・スルー・ホ・オポノポノ」に関する講演活動を行うほか、世界各地でクラスや講演会を行っています。

【ＫＲ（カマイレラウリイ・ラファエロヴィッチ）女史】

「セルフ・アイデンティティ・スルー・ホ・オポノポノ（ＳＩＴＨ）」創始者、故モーナ女史の一番弟子であり、一九歳のころから現在まで、およそ四〇年間にわたってホ・オポノポノを実践しつづけている人です。現存するホ・オポノポノ実践者のなかでは、いちばん長くクリーニングをし、モーナ女史から直接指導を受けた数少ないトレーナーの一人です。モーナ女史よりボディワーカーとしての役割を唯一引き継ぎ、現在、クライアントとして数多くの著名人が訪れています。また、ＭＢＡ（経営学マスター）やＭＡＴ（マッサージセラピストライセンス）の資格を取得。ハワイでは不動産業を営み、さらにホ・オポノポノを使って個人や経営者のコンサルタント、ボディワークも行っています。

【モーナ・ナラマク・シメオナ女史（一九一三～一九九二）】

ネイティブ・ハワイアンの伝統的高度医療専門家カフーナ・ラパアウであり、「ホ・オポノポノ」を発展させたトレーニング方法「セルフ・アイデンティティ・スルー・ホ・オポノポノ」を編み出した人物です。彼女は、「ＳＩＴＨ」の最初の指導教育者として、医療施設や大学機関を含め、世界中で講演・指導にあたり、とくに国際連合からは三回の招聘《しょうへい》を受けてトレーニングを行いました。また、モーナ女史がオアフ島のロイヤル・ハワイアンホテルとカハラホテルで行っていた古代ハワイアンマッサージをアレンジしたマッサージ法は、現在のロミロミの元になっています。クライアントには、ジャクリーン・オナシスをはじめ多くの著名人がいました。一九八三年には、ハワイ州議会と本願寺ホノルル別院からその業績が讃《たた》えられ、「人間州宝」に認定されています。

あとがき

ウニヒピリのケアをすることは、自分をほんとうの意味で解放し、全宇宙が真の自由を得るために欠かせないプロセスです。

＊

ウニヒピリがクリーニングに参加しなければ、記憶は再生されつづけるばかりで、過去の問題や傷を繰り返し人生のなかで体験する状態から、決して自由になることはありません。

「ウハネ＝母親」であるあなたには、ウニヒピリに対して、クリーニングのプロセスを教える役割があります。

あなたが教えるにあたり、子であるウニヒピリに絶えず愛情や感謝の想いをもち、ウニヒピリの働きを評価する必要があります。

このように接することは、ウニヒピリという膨大なメモリーを保管するパソコンにクリーニングの基本構造と概念をダウンロードすることと同じです。このコンピューターに、いったんクリーニングというプログラムが正常にダウンロードされたなら、コンピューター＝ウニヒピリはいちいち指示しなくても自動的にノンストップでクリーニングをしてくれるようになります。

ただし、母の愛と感謝と自分への評価が確かなものだと一瞬一瞬感じられなければ、ウニヒピリは動かないでしょう。

母と子の関係は、宇宙にとって何よりも大切なのです。

POI（わたしの平和）

イハレアカラ・ヒューレン

この本を出すにあたり、携わってくださったすべての方々に感謝するとともに、「セルフ・アイデンティティ・スルー・ホ・オポノポノ」のプロセスを通じて得たわたしの体験を読んでくださる皆様に、心から感謝します。そして、モーナ・ナラマク・シメオナとディヴィニティに深い感謝を捧《ささ》げます。

*

ウニヒピリをケア（大切にし、面倒を見て、常に心にかけていること）するのは、ホ・オポノポノをあなたの人生に取り入れる際に、とても大切なことです。それは、インナーチャイルドが、記憶を管理する役割を一手に引き受けているからです。

記憶はわたしたちが人生で経験するあらゆることに大きな影響を与えています。わたしたちは今、この人生を体験しています。また、今あるこの自分を体験しています。

こうしたわたしたちの体験はウニヒピリの記憶庫にあるさまざまな記憶によって色づけされています。わたしたちがホ・オポノポノのプロセスを始めると、こうした記憶を手放すことができます。

これって素晴らしいことだと思いませんか？　何十年、何百年、いえ何万年も背負ってきた記憶を、とうとう手放すときがきたのです。


ホ・オポノポノは「今」を生きることでもあります。

ホ・オポノポノでは一瞬一瞬クリーニングをすることを選び、手放すという選択をします。このプロセスによってわたしたちは今、この瞬間にウニヒピリをケアする選択ができます。

また、自分が今ここにあるのはただクリーニングをするためであること、今生きている意味はこの一点にあるということを自分自身にそっと思い出させることを選べるのです。

わたしたちはその気持ちがあれば、一瞬一瞬クリーニングを始めるという選択ができます。その気があれば、日々人生で体験することは、自分のなかに溜《た》め込まれた記憶によって色づけされているのだということを、愛をもって自分自身に思い起こさせることができるのです。

今この瞬間。今こそクリーニングをするときであり、今こそ手放すときなのです。

ウニヒピリは、わたしたちの最高の友です。

この子の信頼を得ることができてはじめて、ほんとうの自分を体験しはじめます。

〝ほんとうの自分〟つまり真のアイデンティティを生きるスタート地点に立てます。

だからこそ、このプロセスを「セルフ・アイデンティティ・スルー・ホ・オポノポノ」と呼ぶのです。あらためて、わたしの体験を分かち合わせていただけることに感謝します。

今のわたしには、よくわかります。

クリーニングをするために、わたしはこの世に送られたのだと……。

わたしの心はよくわかっています。

クリーニングをすることは、わたしにとって大きな恵みとなることを……。
そしてわたしにもたらされる恩恵は、同時にすべての方々にももたらされるのであると……。

いつも平和を。

KR

インタビューを終えて

わたしがとても痛《いた》んでいたとき、ヒューレン博士と出会った。

「アイスブルー、アイスブルー、アイスブルー……」

痛みの手放し方を教えてくれた。


わたしがクリーニングを続けるようになったころ、KR女史と出会った。

「アイラブユー、アイラブユー、アイラブユー……」

わたしのなかのほんとうの自分、ウニヒピリの存在を教えてくれた。


わたしよりわたしを知っていて、嬉《うれ》しいとき、苦しいとき、嘘《うそ》をついても、楽しくても、どんなときも、わたしがわたしであるために、たったそれだけのために、わたしと一緒にいてくれる。

ウニヒピリ、わたしだけのウニヒピリ。

あなたがこれまでわたしに見せてくれた、それはそれは数多くのこと、今まで無視したり、適当に扱ったり、利用したりして、ほんとうにごめんね。わたしがわたしであるために、いろいろなチャンスをくれたのに、今まで「ありがとう」が言えなかった。

これからはずっと一緒だよ。

あなたはわたしの親友で家族、たった一人のほんとうの自分。

そしてわたしはウニヒピリに出会った。

「アイスブルー、　アイラブユー、　ゴールドドラム……」

ウニヒピリは、この瞬間もわたしに、ほんとうにたくさんのことを教えてくれる。

心をこめてお礼を言います。

ヒューレン博士とKR女史、ウニヒピリのことを教えてくださって、ほんとうにありがとうございます。お二人のクリーニングをする姿勢に、生きる勇気をたくさんいただきました。

クリーニングをすること、人や植物、本や物や会社、そして自分のウニヒピリ、ほんとうの意味で愛することを教えてくださったおかげで、わたしの人生のなかで美しいものがどんどん増えていきます。

大好きなよしもとばななさんとばななさんの作品たち。ばななさんのおかげで、わたしは今も楽しく前向きに、ウニヒピリのケアをしています！

佐藤玲さんとカイカイキキのスタッフの皆様。最後の最後にクリーニングをしていたらやっぱり表紙をお願いしたい！　って思いました。急なお願いにもかかわらず、こんなに素敵なイラストを描いていただき、とっても嬉しいです。ピュアでウキウキな玲さんの作品の大ファンです。

鈴木七沖さんと岡田寛子さんをはじめとするサンマーク出版の皆様。本の制作にご協力いただいたすべての皆様。最後までコミュニケーションをとりつづけてくれたこと、たくさんのクリーニングのチャンスをありがとうございました。

チーム・セリーンの温かさにいつも支えられています。

愛する家族、友人、先生、私の人生のなかで出会えた人たちみんな！　ありがとうございます。

そして何よりも、この本をお読みいただいた方々、ホ・オポノポノを実践されている方々、クラスのご参加者、クラスアシスタント、会場関係者の皆様や、ご協力をいただくすべての皆様、ほんとうに、ほんとうにありがとうございます。

最後に、日本に、そしてわたしにホ・オポノポノを紹介してくれた平良ベティーさん、アイラブユー。

（&わたしのウニヒピリ）

Thank you , I love you.

POI　平良アイリーン

ウニヒピリ　ホ・オポノポノで出会った「ほんとうの自分」

2010年4月30日　初版発行
2021年7月30日　第12刷発行

著　者　イハレアカラ・ヒューレン、KR、平良アイリーン
発行人　植木宣隆
発行所　株式会社 サンマーク出版
〒169－0075
東京都新宿区高田馬場2－16－11
(電)03－5272－3166

印　刷　株式会社暁印刷

製　本　株式会社若林製本工場

ISBN978-4-7631-3065-5 C0010　Printed in Japan
ホームページ　https://www.sunmark.co.jp

©Seiya Nakano

Ihaleakala Hew Len, Ph.D.

イハレアカラ・ヒューレン博士

©Seiya Nakano

Kamaile Rafaelovich,MBA,MAT

KR女史